我的精神家园

王小波——著

图书在版编目（CIP）数据

我的精神家园 / 王小波著. —杭州：浙江文艺出版社，2016.1（2016.2重印）

ISBN 978-7-5339-4423-0

Ⅰ. ①我… Ⅱ. ①王… Ⅲ. ①杂文集—中国—当代 Ⅳ. ①I267.1

中国版本图书馆CIP数据核字（2015）第308173号

责任编辑　闻　艺
特约监制　赵　菁　肖　蕊
特约编辑　胡瑞婷
封面设计　所以设计馆

我的精神家园
王小波　著

出版发行　浙江文艺出版社
地　　址　杭州市体育场路347号　　邮编　310006
网　　址　www.zjwycbs.cn
经　　销　浙江省新华书店集团有限公司
印　　刷　北京盛通印刷股份有限公司
开　　本　880mm × 1230mm　1/32
字　　数　200千字
印　　张　10.75
插　　页　2
版　　次　2016年1月第1版　2016年2月第2次印刷
书　　号　ISBN 978-7-5339-4423-0
定　　价　42.00元

目　录

序

年轻时读萧伯纳的剧本《巴巴拉少校》，有场戏给我留下了深刻的印象：工业巨头安德谢夫老爷子见到了多年不见的儿子斯泰芬，问他对做什么有兴趣。这个年轻人在科学、文艺、法律等一切方面一无所长，但他说自己有一项长处：会明辨是非。老爷子把自己的儿子暴损了一通，说这件事难倒了一切科学家、政治家、哲学家，你什么都不会，就会一个明辨是非？我看到这段文章时只有二十来岁，登时痛下决心，说这辈子我干什么都可以，就是不能做一个一无所能就能明辨是非的人。因为这个缘故，我成了沉默的大多数的一员。我年轻时所见的人，只掌握了一些粗浅（且不说是荒谬）的原则，就以为无所不知，对世界妄加判断，结果整个世界都深受其害。直到我年登不惑，才明白萧翁的见解原有偏颇之处；但这是后话——无论如何，萧翁的这些议论，对那些浅薄之辈、狂妄之辈，总是一种解毒剂。

萧翁说明辨是非难，是因为这些是非都在伦理的领域之内。俗话说得好：此人之肉，彼人之毒。一件对此人有利的事，难免会伤害另一个人。真正的君子知道，自己的见解受所处环境左右未必是公平的，所以他觉得明辨是非是难的。倘若某人以为自己是社会的精英，以为自己的见解一定对，虽然有狂妄之嫌，但他会觉得明辨是非很容易。明了萧翁这重意思以后，我很以做明辨是非的专家为耻——但这已经是二十年前的事了。当时我是年轻人，觉得能洁身自好不去害别人就可以了。现在我是中年人——一个社会里，中年人要负很重的责任：要对社会负责，要对年轻人负责，不能只顾自己。因为这个缘故，我开始写杂文。现在奉献给读者的这本杂文集，篇篇都在明辨是非，而且都在打我自己的嘴。

伦理问题虽难，但却不是不能讨论。罗素先生云，真正的伦理原则把人人同等看待。考虑伦理问题时，想替每个人都想一遍是不可能的事，但你可以说，这是我的一得之见，然后说出自己的意见，把是非交付公论。讨论伦理的问题时也可以保持良心的清白——这是我最近的体会；但不是我打破沉默的动机。假设有一个领域，谦虚的人、明理的人以为它太困难、太暧昧，不肯说话，那么开口说话的就必然是浅薄之徒、狂妄之辈。这导致一种负筛选：越是傻子越敢叫唤——马上我就要说到，这些傻子也不见得是真的傻，但喊出来的都是傻话。久而久之，对中国人的名声也有很大的损害。前些时见到个外国人，他说：听说你们中国人都在说“不”？这简直是把我们都当傻子看待。我很不客气地答道：

物以类聚，人以群分。你认识的中国人都说“不”，但我不认识这样的人。这倒不是唬外国人，我认识很多明理的人，但他们都在沉默中，因为他们都珍视自己的清白。但我以为，伦理问题太过重要，已经不容我顾及自身的清白。

伦理（尤其是社会伦理）问题的重要，在于它是大家的事——“大家”的意思就是包括我在内。我在这个领域里有话要说，首先就是：我要反对愚蠢。一个只会明辨是非的人总是凭胸中的浩然正气做出一个判断，然后加上一句：难道这不是不言而喻的吗？任何受过一点科学训练的人都知道，这世界上简直找不到什么不言而喻的事，所以这就叫作愚蠢。在我们这个国家里，傻有时能成为一种威慑。假如乡下一位农妇养了五个傻儿子，既不会讲理，又不懂王法，就会和人打架，这家人就能得点便宜。聪明人也能看到这种便宜，而且装傻谁不会呢——所以装傻就成为一种风气。我也可以写装傻的文章，不只是可以，我是写过的——“文革”里谁没写过批判稿呢？但装傻是要不得的，装开了头就不好收拾，只好装到底，最后弄假成真。我知道一个例子是这样的：某人“文革”里装傻写批判稿，原本是想搞点小好处，谁知一不小心上了《人民日报》头版头条，成了风云人物。到了这一步，就只好装下去了，真傻犯错误处理还能轻些呀。

我反对愚蠢，不是反对天生就笨的人，这种人只是极少数，而且这种人还盼着变聪明。在这个世界上，大多数愚蠢里都含有假装和弄假成真的成分。但这一点并不是我的发现，是萧伯纳告诉我的。在他的《匹克梅梁》里，息金斯教授遇上了一个假痴不癫的杜特立尔先生。息教授问：你是恶棍还是傻瓜？这就是问：你假傻真傻？杜先生答：两样都有点，先生，凡人两样都得有点呀。在我身上，后者的成分多，前者的成分少。而且我讨厌装傻，渴望变聪明。所以我才会写这本书。

在社会伦理的领域里我还想反对无趣，也就是说，要反对庄严肃穆的假正经。据我的考察，在一个宽松的社会里，人们可以收获到优雅，收获到精雕细琢的浪漫；在一个呆板的社会里，人们可以收获到幽默——起码是黑色的幽默。就是在我待的这个社会里，人们可以什么都收获不到，这可是件让人吃惊的事情。看过但丁《神曲》的人就会知道，对人来说，刀山、剑树、火海、油锅都不算严酷，最严酷的是寒冰地狱，把人冻在那里一动都不能动。假如一个社会的宗旨就是反对有趣，那它比寒冰地狱又有不如。在这个领域里发议论的人总是在说：这个不宜提倡，那个不宜提倡。仿佛人活着就是为了被提倡。要真是这样，就不如不活。罗素先生说，参差多态乃是幸福的本源——弟兄姐妹们，让我们睁开眼睛往周围看看，所谓的参差多态，它在哪里呢？

在萧翁的《巴巴拉少校》中，安德谢夫家族的每一代都要留下一句至理名言。那些话都编得很有意思，其中有一句是：人人有权争胜负，无人有权论是非。这话也很有意思，但它是句玩笑。实际上，人只要争得了论是非的权利，他已经不战而胜了。我对自己的要求很低：我活在世上，无非想要明白些道理，遇见些有趣的事。倘能如我所愿，我的一生就算成功。为此也要去论是非，否则道理不给你明白，有趣的事也不让你遇到。我开始得太晚了，很可能做不成什么，但我总得申明我的态度，所以就有了这本书——为我自己，也代表沉默的大多数。

王小波　1997 年 3 月 21 日

工作·使命·信心

《黄金时代》得奖感言

我从很年轻时就开始写作，到现在已有近二十年。虽然在大陆的刊物上发表过几篇小说，出版过一部小说集，但对自己所写的东西，从来没有真正满意过。文学虽然有各种流派，各种流派之间又有很大的区别，但就作品而言，最大的区别却在于，有些作品写得好，有些作品写得不好。写出《黄金时代》之前，我从未觉得自己写得好，而《黄金时代》一篇，自觉写得尚可。感谢我的老师许倬云教授推荐了这篇小说，感谢《联合报》和各位评委先生把这个奖评给它。因为这篇小说是我的宠儿，所以它能获奖使我格外高兴。

一篇小说在写完之前，和作者有千丝万缕的联系，我们总是努力使它完美无缺。而一旦写完之后，就与作者再无关系。一切可用心血都已用尽，个人已再无力量去改动它，剩下的事情就是把它出版，让别人去评说——玛格丽特·杜拉斯就是这样看待她写的每一篇小说。世界上每一种语文，都应该有很多作品供人阅读和评论，而作家的任务就是把它们写出来，并且要写得好。这是一件艰苦的工作，我还不能完全相信这就是我此生的使命，也许此次获奖会帮助我建立这样的信心。

（本篇最初发表于1991年9月16日台湾《联合报》）

我为什么要写作

有人问一位登山家为什么要去登山——谁都知道登山这件事既危险，又没什么实际的好处，他回答道："因为那座山峰在那里。"我喜欢这个答案，因为里面包含着幽默感——明明是自己想要登山，偏说是山在那里使他心里痒痒。除此之外，我还喜欢这位登山家干的事，没来由地往悬崖上爬。它会导致肌肉疼痛，还要冒摔出脑子的危险，所以一般人尽量避免爬山。用热力学的角度来看，这是个减熵现象，极为少见。这是因为人总是趋利避害，热力学上把自发现象叫作熵增现象，所以趋害避利肯定减熵。

现在把登山和写作相提并论，势必要招致反对。这是因为最近十年来中国有过小说热、诗歌热、文化热，无论哪一种热都会导致大量的人投身写作，别人常把我看成此类人士中的一个，并且告诫我说，现在都是什么年月了，你还写小说？（言下之意是眼下是经商热，我该下海去经商了）但是我的情形不一样。前三种热发生时，我正在美国念书，丝毫没有受到感染。我们家的家训是不准孩子学文科，一律去学理工。因为这些缘故，立志写作在我身上是个不折不扣的减熵过程。我到现在也弄不明白自己为什么要干这件事，除了它是个减熵过程这一点。

有关我立志写作是个减熵过程，还有进一步解释的必要。写作是个笼统的字眼，还要看写什么东西。写畅销小说、爱情小诗等热门东西，应该列入熵增过程之列。我写的东西一点不热门，不但挣不了钱，有时还要倒贴一些。严肃作家的“严肃”二字，就该作如此理解。据我所知，这世界上有名的严肃作家，大多是凑合过日子，没名的大概连凑合也算不上。这样说明了以后，大家都能明白我确实在一个减熵过程中。

我父亲不让我们学文科，理由显而易见。在我们成长的时代里，老舍跳了太平湖，胡风关了监狱，王实味被枪毙了。以前还有金圣叹砍脑壳等实例。当然，他老人家也是屋内饮酒门外劝水的人，自己也是个文科的教授，但是他坦白地承认自己择术不正，不足为训。

我们兄弟姐妹五个就此全学了理工科，只有我哥哥例外。考虑到我父亲脾气暴躁、吼声如雷，你得说这种选择是个熵增过程。而我哥哥那个例外是这么发生的：七八年考大学时，我哥哥是北京木城涧煤矿最强壮的青年矿工，吼起来比我爸爸音量还要大。无论是动手揍他，还是朝他吼叫，我爸爸自己都挺不好意思，所以就任凭他去学了哲学，在逻辑学界的泰斗沈有鼎先生的门下当了研究生。考虑到符号逻辑是个极专门的学科（这是从外行人看不懂逻辑文章来说），它和理工科差不太多的。从以上的叙述，你可以弄明白我父亲的意思。他希望我们每个人都学一种外行人弄不懂而又是有功于世道的专业，平平安安地度过一生。我父亲一生坎坷，他又最爱我们，这样的安排在他看来最自然不过。

我自己的情形是这样的：从小到大，身体不算强壮，吼起来音量也不够大，所以一直本分为人。尽管如此，我身上总有一股要写小说的危险情绪。插队的时候，我遇上一个很坏的家伙（他还是我们的领导，在我们这个社会里属于少数坏干部之列），我就编了一个故事，描写他从尾骨开始一寸寸变成了一头驴，并且把它写了出来，以泄心头之愤。后来读了一些书，发现卡夫卡也写了个类似的故事，搞得我很不好意思。还有一个故事，女主人公长了蝙蝠的翅膀，并且头发是绿色的，生活在水下。这些二十岁前的作品我都烧掉了。在此一提是要说明这种危险倾向的由来。后来我一直抑制着这种倾向，念完了本科，到美国去留学。我哥哥也念完了硕士，也到美国去留学。我在那边又开始写小说，这种危险的倾向再也不能抑制了。

在美国时，我父亲去世了。回想他让我们读理科的事，觉得和美国发生的事不是一个逻辑。这让我想起了前苏联元帅图哈切夫斯基对大音乐家肖斯塔科维奇说的话来："我小的时候，很有音乐天才。只可惜我父亲没钱给我买把小提琴！假如有了那把小提琴，我现在就坐在你的乐池里。"这段话乍看不明其意，需要我提示一句：这次对话发生在前苏联的三十年代，说完了没多久，图元帅就一命呜呼了。那年头专毙元帅将军，不大毙小提琴手。"文化大革命"里跳楼上吊的却是文人居多。我父亲在世时，一心一意地要给我们每人都弄把小提琴。这把小提琴就是理工农医任一门，只有文科不在其内，这和美国发生的事不一样，但是结论还是同一个——我该去干点别的，不该写小说。

有关美国的一切，可以用一句话来描述：American's business is business，这句话的意思就是说，那个国家永远是在经商热中，而且永远是一千摄氏度的白热。所以你要是看了前文之后以为那里有某种气氛会有助于人立志写作就错了。连我哥哥到了那里都后悔了，觉得不该学逻辑，应当学商科或者计算机。虽然他依旧无限仰慕罗素先生的为人，并且竭其心力证明了一项几十年未证出的逻辑定理，但是看到有钱人豪华的住房，也免不了唠叨几句他对妻儿的责任。

在美国有很强大的力量促使人去挣钱，比方说洋房，有些只有一片小草坪，有的有几百亩草坪，有的有几千亩草坪，所以仅就住房一项，就能产生无穷无尽的挣钱的动力。

再比方说汽车，有无穷的档次和价格。你要是真有钱，可以考虑把肯尼迪遇刺时坐的汽车买来坐。还有人买下了前苏联的战斗机，驾着飞上天。在那个社会里，没有人受得了自己的孩子对同伴说：我爸爸穷。我要是有孩子，现在也准在那里挣钱。而写书在那里也不是个挣钱的行当，不信你到美国书店里看看，各种各样的书胀了架子，和超级市场里陈列的卫生纸一样多——假如有人出售处心积虑一页页写出的卫生纸，肯定不是好行当。除此之外，还有好多人的书没有上架，窝在他自己的家里。我没有孩子，也不准备要。作为中国人，我是个极少见的现象。但是人有一张脸，树有一张皮，别人都去挣钱，自己却在干可疑的勾当，脸面上也过不去。

在美国时，有一次和一位华人教授聊天，他说他的女儿很有出息，放着哈佛大学人类学系奖学金不要，自费去念一般大学的 law school，如此反潮流，真不愧是书香门第。其实这是舍小利而趋大利，受小害而避大害。不信你去问问律师挣多少钱，人类学家又挣多少钱。和我聊天的这位教授是个大学问家，特立独行之辈，一谈到了女儿，好像也不大特立独行了。

说完了美国、前苏联，就该谈谈我自己。到现在为止，我写了八年小说，也出了几本书，但是大家没怎么看到。除此之外，我还常收到谩骂性的退稿信，这时我总善意地想：写信的人准是在领导那里挨了骂，找我撒气。提起王小波，大家准会想到宋朝在四川拉杆子的那一位，想不到我身上。我还在减熵过程中。顺便说一句，人类的存在、文明的发展就是个减熵过程，但是这是说人类。具体说到自己，我的行为依旧无法解释。再顺便说一句，处于减熵过程中的，绝不只是我一个人。在美国，我遇上过支起摊来卖托洛茨基、格瓦拉、毛主席等人的书的家伙，我要和他说话，他先问我怕不怕联邦调查局——别的例子还很多。在这些人身上，你就看不到水往低处流、苹果掉下地、狼把兔子吃掉这一宏大的过程，看到的现象相当于水往山上流、苹果飞上天、兔子吃掉狼。我还可以说，光有熵增现象不成。举例言之，大家都顺着一个自然的方向往下溜，最后准会在个低洼的地方汇齐，挤在一起像粪缸里的蛆。但是这也不能解释我的行为。我的行为是不能解释的，假如你把熵增现象看成金科玉律的话。

当然，如果硬要我用一句话直截了当地回答这个问题，那就是：我相信我自己有文学才能，我应该做这件事。但是这句话正如一个嫌疑犯说自己没杀人一样不可信。所以信不信由你吧。

（本篇最初发表于 1994 年 3 月出版的第一百一十一期《香港文学》杂志）

关于格调

最近我出版了一本小说《黄金时代》，有人说它格调不高，引起了我对格调问题的兴趣。各种作品、各种人，尤其是各种事件，既然有高有低，就有了尺度问题。众所周知，一般人都希望自己格调高，但总免不了要干些格调低的事。这就使得格调问题带有了一定的复杂性。

当年有人问孟子，既然男女授受不亲，嫂子掉到水里，要不要伸手去拉。这涉及了一个带根本性的问题，假如“礼”是那么重要，人命就不要了吗？孟子的回答是：用手去拉嫂子是非礼，不去救嫂子则“是豺狼也”，所以只好从权，宁愿非礼而不做豺狼。必须指出，在非礼和做豺狼之中作一选择是痛苦的，但这要怪嫂子干吗要掉进水里。这个答案有不能令人满意的地方，但不是最坏，因为他没有说戴上了手套再去拉嫂子，或者拉过了以后再把手臂剁下来。他也没有回答假如落水的不是嫂子而是别的女人，是不是该去救。但是你不能对孟子说，在生活里，人命是最重要的，犯不着为了些虚礼牺牲它——说了孟夫子准要和你翻脸。另一个例子是舜曾经不通知父亲就结了婚。孟子认为，他们父子关系很坏，假如请示的话，可能一辈子结不了婚；他还扯上了一些不孝有三无后为大的话，结论是舜只好从权了。这个结论同样不能令人满意，因为假如舜的父亲稍稍宽容，许可舜和一个极为恶毒的女人结婚，不知孟子的答案是怎样的。假如让舜这样一位圣贤娶上一个恶毒的妇人，从此在痛苦中生活，我以为不够恰当。倘若你说，在生活里，幸福是最重要的，孟老夫子也肯定要和你翻脸。但不管怎么说，一个理论里只要有了“从权”这种说法，总是有点欠严谨。好在孟子又有些补充说明，听上去更有道理。

有关礼与色孰重的问题，孟子说，礼比色重，正如金比草重。虽然一车草能比一小块金重，但是按我的估计，金子和草的比重大致是一百比一——搞精确是不可能的，因为草和草还不一样。这样我们就有了一个换算关系，可以作为生活的指南，虽然怎么使用还是个问题。不管怎么说，孟子的意思是明白的，生活里有些东西重，有些东西轻。正如我们现在说，有些事格调高，有些事格调低。假如我们重视格调高的东西，轻视格调低的东西，自己的格调就能提升。

作为一个前理科学生，我有些混账想法，可能会让真正的人文知识分子看了身上长鸡皮疙瘩。对于“礼”和“色”，大致可以有三到四种不同的说法。其一，它们是不同质的东西，没有可比性；其二，礼重色轻，但是它们没有共同的度量；最后是有这种度量，礼比色重若干，或者一单位的礼相当于若干单位的色；以上的分类恰恰就是科学上说的定类（nominal）、定序（ordinal）、定距（interval）和定比（ratio）这四种尺度（定距和定比的区别不太重要）。这四种尺度越靠后的越精密。格调既然有高低之分，显然属于定序以后的尺度。然而，说格调仅仅是定序的尺度还不能令人满意——按定序的尺度，礼比色重，顺序既定，不可更改，舜就该打一辈子光棍。如果再想引入事急从权的说法，那就只能把格调定为更加精密的尺度，以便回答什么时候从权，什么时候不可从权的问题——如果没个尺度，想从权就从权，礼重色轻就成了一句空话。于是，孟子的格调之说应视为定比的尺度，以格调来度量，一份礼大致等于一百份色。假如有一份礼，九十九份色，我们不可从权；遇到了一百零一份色就该从权了。前一种情形是在一百和九十九中选了一百，后者是从一百和一百零一中选了一百零一。在生活中，做出正确的选择，就能使自己的总格调得以提高。

对于作品来说，提升格调也是要紧的事。改革开放之初有部电影，还得过奖的，是个爱情故事。男女主角在热恋之中，不说“我爱你”，而是大喊“I love my motherland”，场景是在庐山上，喊起来地动山摇，格调就很高雅，但是离题太远。国外的电影拍到这类情节，必然是男女主角拥抱热吻一番，这样格调虽低，但比较切题。就爱情电影而言，显然有两种表达方式，一种格调高雅，但是晦涩难解；另一种较为直接，但是格调低下。按照前一种方式，逻辑是这样的，当男主角立于庐山之上对着女主角时，心中有各种感情：爱祖国、爱人民、爱领袖、爱父母，等等。最后，并非完全不重要，他也爱女主角。而这最后一点，他正急于使女主角知道。但是经过权衡，前面那些爱变得很重，必须首先表达之，爱她这件事就很难提到。而女主角的格调也很高雅，她知道提到爱祖国、爱人民等，正是说到爱她的前奏，所以她耐心地等待着。我记得电影里没有演到说出“I love you”，按照这种节奏，拍上十几个钟头就可以演到。改革开放之初没有几十集的连续剧，所以真正的爱情场面很难看到。外国人在这方面缺少训练，所以对这部影片的评价是：虽然女主角很迷人，但不知拍了些啥。

按照后一种方式，男主角在女主角面前时，心里也爱祖国、爱上帝，等等。但是此时此地，他觉得爱女主角最为急迫，于是说，我爱你，并且开始带有性爱意味的身体接触。不言而喻，这种格调甚为低下。这两种方式的区别只在于有无经过格调方面的加权运算，这种运算本身就极复杂，导致的行为就更加复杂。后一种方式没有这个步骤，显得特别简捷，用现时流行的一个名词，就是较为“直露”。这两种方式的区别在于前者以爱对方为契机，把祖国人民等一一爱到，得到了最高的总格调。而后者径直去爱对方，故而损失很大，只得到了最低的总格调。

说到了作品，大家都知道，提升格调要受到某种制约。“文革”里有一类作品只顾提升格调，结果产生了“高大全”的人物和“高大全”的故事，使人望之生厌。因为这个缘故，领导上也说，要做到政治性与艺术性的统一——作品里假如只有格调，就不成个东西。这就是说，格调不是评价作品唯一的尺度。由此就产生了一个问题，另外那种东西和格调是个什么关系？这个问题孟子肯定会这么回答：艺术与格调，犹色与礼也。作品里的艺术性，或则按事急从权的原则，最低限度地出现；或则按得到最高格调的原则，合理地搭配。比如说，径直去写男女之爱，得分为一，搭配成革命的爱情故事，就可以得到一百零一分。不管怎么说，最后总要得到“高大全”。

我反对把一切统一到格调上，这是因为它会把整个生活变成一种得分游戏。一个得分游戏不管多么引人入胜，总不能包容全部生活，包容艺术，何况它根本就没什么意思。假如我要写什么，我就根本不管它格调不格调，正如谈恋爱时我决不从爱祖国谈起。

现在可以谈谈为什么别人说我的作品格调低——这是因为其中写到了性。因为书中人物不是按顺序干完了格调高的事才来干这件格调低的事，所以它得分就不高。好在评论界没有按礼与色一百比一的比例来算它的格调，所以在真正的文学圈子里对它的评价不低，在海外还得过奖。假如说，这些人数学不好，不会算格调，我是不能承认的。不说别人，我自己的数学相当好，任何一种格调公式我都能掌握。我写这些作品是有所追求的，但这些追求在格调之外。除此之外，我还怀疑，人得到太多的格调分，除了使别人诧异之外，没有实际的用处。

坦白地说，我对色情文学的历史有一点了解。任何年代都有些不争气的家伙写些丫丫乌的黄色东西，但是真正有分量的色情文学都是出在“格调最高”的时代。这是因为食色性也，只要还没把小命根一刀割掉，格调不可能完全高。比方说，英国维多利亚时期出了一大批色情小说，作者可以说有相当的文学素质；再比方说，“文化大革命”里流传的手抄小说，作者的素质在当时也算不错。要使一个社会中一流的作者去写色情文学，必须有极严酷的社会环境和最不正常的性心理。在这种情况下，色情文学是对假正经的反击。我认为目前自己尚写不出真正的色情文学，也许是因为对环境感觉鲁钝。前些时候我国的一位知名作者写了《废都》，我还没有看。有人说它是色情文学，但愿它不是的，否则就有说明意义了。

维多利亚时期的英国人和“文革”时的中国人一样，

性心理都不正常。正常的性心理是把性当作生活中一件重要的事，但不是全部。不正常则要么不承认有这么回事，要么除此什么都不想。假如一个社会的性心理不正常，那就会两样全占。这是因为这个社会里有这样一种格调，使一部分人不肯提到此事，另一部分人则事急从权，总而言之，没有一个人有平常心。作为作者，我知道怎么把作品写得格调极高，但是不肯写。对于一件愚蠢的事，你只能唱唱反调。

（本篇最初发表于1995年第四期《中国青年研究》杂志）

我的精神家园

我十三岁时，常到我爸爸的书柜里偷书看。那时候政治气氛紧张，他把所有不宜摆在外面的书都锁了起来，在那个柜子里，有奥维德的《变形记》，朱生豪译的莎翁戏剧，甚至还有《十日谈》。柜子是锁着的，但我哥哥有捅开它的方法。他还有说服我去火中取栗的办法：你小，身体也单薄，我看爸爸不好意思揍你。但实际上，在揍我这个问题上，我爸爸显得不够绅士派，我的手脚也不太灵活，总给他这种机会。总而言之，偷出书来两人看，挨揍则是我一人挨，就这样看了一些书。虽然很吃亏，但我也不后悔。

看过了《变形记》，我对古希腊着了迷。我哥哥还告诉我说：古希腊有一种哲人，穿着宽松的袍子走来走去。有一天，有一位哲人去看朋友，见他不在，就要过一块涂蜡的木板，在上面随意挥洒，画了一条曲线，交给朋友的家人，自己回家去了。那位朋友回家，看到那块木板，为曲线的优美所折服，连忙埋伏在哲人家左近，待他出门时闯进去，要过一块木板，精心画上一条曲线……当然，这故事下余的部分就很容易猜了：哲人回了家，看到朋友留下的木板，又取一块蜡板，把自己的全部心胸画在一条曲线里，送给朋友去看，使他真正折服。现在我想，这个故事是我哥哥编的。但当时我还认真地想了一阵，终于傻呵呵地说道：这多好啊。时隔三十年回想起来，我并不羞愧。井底之蛙也拥有一片天空，十三岁的孩子也可以有一片精神家园。此外，人有兄长是好的。虽然我对国家的计划生育政策也无异议。

长大以后，我才知道科学和艺术是怎样的事业。我哥哥后来是已故逻辑大师沈有鼎先生的弟子，我则学了理科；还在一起讲过真伪之分的心得、对热力学的体会，但这已是我二十多岁时的事。再大一些，我到国外去旅行，在剑桥看到过使牛顿体会到万有引力的苹果树，拜伦拐着腿跳下去游水的“拜伦塘”，但我总在回想幼时遥望人类智慧星空时的情景。千万丈的大厦总要有片奠基石，最初的爱好无可替代。所有的智者、诗人，也许都体验过儿童对着星光感悟的一瞬。我总觉得，这种爱好对一个人来说，就如性爱一样，是不可少的。

我时常回到童年，用一片童心来思考问题，很多烦难的问题就变得易解。人活着当然要做一番事业，而且是人文的事业；就如有一条路要走，假如是有位老学究式的人物，手执教鞭戒尺打着你走，那就不是走一条路，而是背一本宗谱。我听说前苏联就是这么教小孩子的：要背全本的普希金、半本莱蒙托夫，还要记住俄罗斯是大象的故乡（肖斯塔科维奇在回忆录里说了很多）。我们这里是怎样教孩子的，我就不说了，以免得罪师长。我很怀疑会背宗谱就算有了精神家园，但我也不想说服谁。安徒生写过《光荣的荆棘路》，他说人文的事业就是一片着火的荆棘，智者仁人就在火里走着。当然，他是把尘世的嚣嚣都考虑在内了，我觉得用不着想那么多。用宁静的童心来看，这条路是这样的：它在两条竹篱笆之中，篱笆上开满了紫色的牵牛花，在每个花蕊上，都落了一只蓝蜻蜓。这样说固然有煽情之嫌，但想要说服安徒生，就要用这样的语言。维特根斯坦临终时说：告诉他们，我度过了美好的一生。这句话给人的感觉就是：他从牵牛花丛中走过来了。虽然我对他的事业一窍不通，但我觉得他和我是一头儿的。

我不大能领会下列说法的深奥之处：要重建精神家园，恢复人文精神，就要灭掉一切俗人——其中首先要灭的，就是风头正健的俗人。假如说，读者兜里的钱是有数的，买了别人的书，就没钱来买我的书，所以要灭掉别人，这个我倒能理解，但上述说法不见得有如此之深奥。假如真有这么深奥，我也不赞成——我们应该像商人一样，严守诚实原则，反对不正当的竞争。让我的想法和作品成为嚣嚣尘世上的正宗，这个念头我没有，也不敢有。既然如此，就必须解释我写文章（包括这篇文章）的动机。坦白地说，我也解释不大清楚，只能说，假如我今天死掉，恐怕就不能像维特根斯坦一样说道：我度过了美好的一生；也不能像司汤达一样说：活过，爱过，写过。我很怕落到什么都说不出的结果，所以正在努力工作。

（本篇最初发表于 1995 年 11 月 30 日《北京青年报》）

关于“媚雅”

前不久在报纸上看到一篇文章，谈到有关“媚俗”与“媚雅”的问题。作者认为，米兰·昆德拉用出来一个词儿，叫作“媚俗”，是指艺术家为了取悦大众，放弃了艺术的格调。他还说，我们国内有些小玩闹造出个新词“媚雅”，简直不知是什么意思。这个词的意思我倒知道，是指大众受到某些人的蛊惑或者误导，一味追求艺术的格调，也不问问自己是不是消受得了。在这方面我有些经验，都与欣赏音乐有关。高雅音乐格调很高，大概没有疑问。我自己在音乐方面品位很低，乡村音乐还能听得住，再高就受不了。

大约十年前，我在美国，有一次到波士顿去看个朋友。当时正是盛夏，为了躲塞车，我天不亮就驾车出发，天傍黑时到，找到了朋友，此时他正要出门。他说，离他家不远有个教堂，每晚里面都有免费的高雅音乐会，让我陪他去听。说实在的，我不想去，就推托道：听高雅音乐要西装革履、正襟危坐，我开了一天的车，疲惫不堪，就算了吧。但是他说，这个音乐会比较随便，属大学音乐系师生排演的性质，你进去以后只要不打瞌睡、不中途退场就可。我就去了，到了门口才知道是演奏布鲁克纳的两首交响曲。我的朋友还拉我在第一排正中就座，听这两首曲子——在这里坐着，连打呵欠的机会都没有了。我觉得这两首曲子没咸没淡、没油没盐，演奏员在胡吹、胡拉，指挥先生在胡比画，整个感觉和晕船相仿。天可怜见，我开了十几个小时的车，坐在又热又闷的教堂里，只要头沾着点东西，马上就能睡着。但还强撑着，把眼睛瞪得滚圆，从七点撑到了九点半！中间有一段我真恨不能一头碰死算了……布鲁克纳那厮这两首鸟曲，真是没劲透了！

如前所述，我在古典音乐方面没有修养，所以没有发言权。可能人家布鲁克纳音乐的春风是好的，不入我这俗人的驴耳。但我总觉得，就算是高雅的艺术，也有功力、水平之分，不可以一概而论。总不能一入了高雅的门槛就是无条件的好——如此立论，就是媚雅了。人可以抱定了媚雅的态度，但你的感官马上就有不同意见，给你些罪受……

下一个例子我比较有把握——不是我俗，而是表演高雅音乐的人水平低所致。这回是听巴赫的合唱曲，对曲子我没有意见，这可不是崇拜巴赫的大名，是我自己听出来的。这回我对合唱队有点意见。此事的起因是我老婆教了个中文班，班上有个学生是匹兹堡市业余乐团的圆号手，邀我们去听彩排，我们就去了。虽不是正式演出，作为观众却不能马虎，因为根本就没有几个观众。所以我认真打扮起来——穿上三件套的西服。那件衣服的马甲有点瘦，但我老婆说，瘦衣服穿起来精神，所以我把吃牛肉吃胀的肚腩强箍了下去，导致自己的横膈膜上升了一寸，有点透不过气来。就这样来到音乐学院的小礼堂，在前排正中入座。等到幕启，见到合唱队，我就觉得出了误会：合唱队正中站了一位极熟的老太太。我在好几个课里和她同学——此人没有八十，也有七十五——我记得她是受了美国政府一项“老年人重返课堂”项目的资助，书念得不好，但教授总让她及格，我对此倒也没有什么意见。看来她又在音乐系混了一门课，和同学一起来演唱。很不幸的是，人老了，念书的器官会退化，歌唱的器官更会退化，这歌大概也唱不好。但既然来了，就冲这位熟识的老人，也得把这个音乐会听好——我们是有这种媚雅的决心的。说句良心话，业余乐团的水平是可以的，起码没走调，合唱队里领唱的先生水平也很高。及至轮到女声部开唱，那位熟识的老太太按西洋唱法的要求把嘴张圆，放声高歌“亚美路亚”，才半声，眼见得她的假牙就从口中飞了出来，在空中一张一合，做要咬人状，飞过了乐池，飞过我们头顶，落向脑后第三排。耳听得“亚美路亚”变成了一声“噗”！在此庄重的场合，唱着颂圣的歌曲，虽然没假牙口不关风，老太太也不便立即退场，瘪着嘴假作歌唱，其状十分古怪……请相信，我坐在那里很严肃地把这一幕听完了，才微笑着鼓掌。所有狂野粗俗的笑都被我咽到肚子里，结果把内脏都震成了碎片。此后三个月，经常咳出一片肺或是一片肝。但因为当时年轻，身体好，居然也没死。笔者行文至此，就拟结束。我的结论是：媚雅这件事是有的，而且对俗人来说，有更大的害处。

（本篇最初发表于1996年第二期《三联生活周刊》杂志）

艺术与关怀弱势群体

前不久在《中华读书报》上看到一篇文章，作者在北大听戴锦华教授的课，听到戴教授盛赞林白的《一个人的战争》，就发问道：假如你有女儿，想不想让她看这本书？戴教授答曰：否。于是作者以为自己抓到了理，得意洋洋地写了那篇文章。读那篇文章时，我就觉得这是一片歪理，因为同样的话也可以去问谢晋导演。谢导的儿子是低智人，笔者的意思不是对谢导不敬，而是说假如谢导持有上述文章作者的想法，拍电影总以儿子能看为准，中国的电影观众就要吃点苦头。大江健三郎也有个低智儿子，若他写文章以自己的儿子能看为准绳，那就是对读者的不敬。但我当时没有作文反驳，因为有点吃不准，不知戴教授有多大。倘若她是七十岁的老人，儿女就当是我的年龄，有一本书我都不宜看，那恐怕没有什么人宜看。昨天在一酒会上见到戴教授，发现她和我岁数相仿，有儿女也是小孩子，所以我对自己更有把握了。因为该文作者的文艺观乃是以小孩子为准绳，可以反驳他（或者她）的谬见。很不幸的是，我把原文作者的名字忘了，在此申明，不是记得有意不提。

任何社会里都有弱势群体，比方说，小孩子、低智人——顺便说一句，孩子本非弱势，但在父母心中就弱势得很。以笔者为例，是一绝顶聪明的雄壮大汉，我妈称呼我时却总要冠个傻字——社会对弱势人群当有同情之心。文明国家各种福利事业，都是为此而设。但我总觉得，科学、艺术不属福利事业，不应以关怀弱势群体为主旨。这样关怀下去没个底。就以弱智人为例，我小时候邻居有位弱智人，喜欢以屎在墙上涂抹，然后津津有味地欣赏这些图案。如果艺术的主旨是关怀弱势群体，恐怕大家都得去看屎画的图案。倘若科学的主旨是关怀弱势群体，恐怕大家都得变成蜣螂一类——我对这种前景深为忧虑。最近应朋友之邀，作起了影视评论，看了一些国产影视剧，发现这种前景就在眼前，再看到上述文章，就更感忧虑。以不才之愚见，我国的文学工作者过于关怀弱势群体，与此同时，自己正在变成一个奇特的弱势群体——起码是比观众、读者为弱。戴锦华教授很例外地不在其中，难怪有人看她不顺眼。笔者在北大教过书，知道该校有个传统：教室的门是敞开的，谁都可以听。这是最美好的传统，体现了对弱势群体的关怀。但不该是谁都可以提问。罗素先生曾言，人人理应平等，但实际上做不到，其中最特殊的就是知识的领域……要在北大提问，修养总该大体上能过得去才好。

说完了忧虑，可以转入正题。我以为科学和艺术的正途不仅不是去关怀弱势群体，而且应当去冒犯强势群体。使最强的人都感到受了冒犯，那才叫作成就。以爱因斯坦为例，发表相对论就是冒犯所有在世的物理学家；他做得很对。艺术家也当如此，我们才有望看到好文章。以笔者为例，杜拉斯的《情人》、卡尔维诺的《我们的祖先》，还有许多书都使我深感被冒犯，总觉得这样的好东西该是我写出来的才对。我一直憋着用同样的冒犯去回敬这些人——只可惜卡尔维诺死了。如你所见，笔者犯着眼高手低的毛病。不过我也有点好处：起码我能容下林白的《一个人的战争》。

（本篇最初发表于1996年2月28日《中华读书报》）

小说的艺术

朋友给我寄来了一本昆德拉的《被背叛的遗嘱》，这是本谈小说艺术的书。书很长，有些地方我不同意，有些部分我没看懂（这本书里夹杂着五线谱，但我不识谱，家里更没有钢琴），但还是能看懂能同意的地方居多。我对此书有种特别的不满，那就是作者丝毫没有提到现代小说的最高成就：卡尔维诺、尤瑟娜尔、君特·格拉斯、莫迪阿诺，还有一位不常写小说的作者——玛格丽特·杜拉斯。早在半个世纪以前，茨威格就抱怨说，哪怕是大师的作品，也有纯属冗余的成分。假如他活到了现在，看到现代小说家的作品，这些怨言就没有了。昆德拉不提现代小说的这种成就，是因为同行嫉妒，还是艺术上见解不同，我就不得而知。当然，昆德拉提谁不提谁，完全是他的自由。但若我来写这本书，一定要把这件事写上。不管怎么说吧，我同意作者的意见，的确存在一种小说的艺术，这种艺术远不是谁都懂得。昆德拉说：不懂开心的人不会懂得任何小说艺术。除了懂得开心，还要懂得更多，才能懂得小说的艺术。但若连开心都不懂，那就只能把小说读糟蹋了。归根结底，昆德拉的话并没有错。

我自己对读小说有一种真正的爱好，这种爱好不可能由阅读任何其他类型的作品来满足。我自己也写小说，写得好时得到的乐趣，绝非任何其他的快乐可以替代。这就是说，我对小说有种真正的爱好，而这种爱好就是对小说艺术的爱好——在这一点上我可以和昆德拉沟通。我想象一般的读者并非如此，他们只是对文化生活有种泛泛的爱好。现在有种论点，认为当代文学的主要成就是杂文，这或许是事实，但我对此感到悲哀。我自己读杂文，有时还写点杂文。照我看，杂文无非是讲理，你看到理在哪里，径直一讲就可。当然，把道理讲得透彻，讲得漂亮，读起来也有种畅快淋漓的快感，但毕竟和读小说是两道劲儿。写小说则需要深得虚构之美，也需要些无中生有的才能。我更希望能把这件事做好。所以，我虽能把理讲好，但不觉得这是长处，甚至觉得这是一种劣根性，需要加以克服。诚然，作为一个人，要负道义的责任，憋不住就得说，这就是我写杂文的动机。所以也只能适当克服，还不能完全克服。

前不久在报上看到一种论点，说现在杂文取代了小说，负起了社会道义的责任。假如真是如此，那倒是件好事——小说来负道义责任，那就如希腊人所说，鞍子扣到头上来了——但这是仅就文学内部而言。从整个社会而言，道义责任全扣在提笔为文的人身上还是不大对头。从另一方面来看，负道义责任可不是艺术标准，尤其不是小说艺术的标准。这很重要啊。

昆德拉的书也主要是说这个问题。写小说的人要让人开心，他要有虚构的才能，并且有施展这种才能的动力——我认为这是主要之点。昆德拉则说，看小说的人要想开心，能够欣赏虚构，并已能宽容虚构的东西——他说这是主要之点。我倒不存这种奢望。小说的艺术首先会形成在小说家的意愿之中，以后会不会遭人背叛，那是以后的事。首先要有这种东西，这才是最主要的。

昆德拉说，小说传统是欧洲的传统。但若说小说的艺术在中国从未受到重视，那也是不对的。在很多年前，曾有过一个历史的瞬间：年轻的张爱玲初露头角，显示出写小说的才能。傅雷先生发现了这一点，马上写文章说：小说的技巧值得注意。那个时候连张春桥都化名写小说，仅就艺术而言，可算是一团糟，张爱玲确是万绿丛中一点红——但若说有什么遗嘱被背叛了，可不是张爱玲的遗嘱，而是傅雷的遗嘱。天知道张爱玲后来写的那叫什么东西。她把自己的病态当作才能了……人有才能还不叫艺术家，知道珍视自己的才能才叫艺术家呢。

笔者行文至此，就欲结束。但对小说的艺术只说了它不是什么，它到底是什么，还一字未提。假如读者想要明白的话，从昆德拉的书里也看不到，应该径直找两本好小说看看。看完了能明白则好，不能明白也就无法可想了，可以去试试别的东西——千万别听任何人讲理，越听越糊涂。任何一门艺术只有从作品里才能看到——套昆德拉的话说，只喜欢看杂文、看评论、看简介的人，是不会懂得任何一种艺术的。

（本篇最初发表于 1996 年第三期《博览群书》杂志）

盖茨的紧身衣

比尔·盖茨在《未来之路》一书里写道：随着现代信息技术的发展，工程师已有能力营造真实的感觉。他们可以给人戴上显示彩色图像的眼镜，再给你戴上立体声耳机，你的所见所闻都由计算机来控制。只要软硬件都过硬，人分不出电子音像和真声真像的区别。可能现在的软硬件还称不上过硬，尚做不到这一点，但过去二十年里，技术的进步是惊人的，所以对这一天的到来，一定要有心理准备。

光看到和听到还不算身历其境，还要模拟身体的感觉。盖茨先生想出一种东西，叫作 VR 紧身衣。这是一种机电设备，像一件衣服，内表面上有很多伸缩的触头，用电脑来控制，这样就可以模仿人的触觉。照他的说法，只要有二十五到三十万个触点，就可以完全模拟人全身的触感——从电脑技术的角度来说，控制这些触头简直是小儿科。有了这身衣服，一切都大不一样。比方说，电脑向你输出一阵风，你不但可以看到风吹杨柳，听到风过树梢，还可以感到风从脸上流过——假如电脑输出的是美人，那就不仅是她的音容笑貌，还有她的发丝从你面颊上滑过——这是友好的美人，假如不友好，来的就是大耳刮子——VR 紧身衣的概念就是如此。作为学食品科技的人，我觉得还该有个面罩连着一些香水瓶，由电脑控制的阀门决定你该闻到什么气味，但假若你患有鼻炎，就会觉得面罩没有必要。总而言之，VR 紧身衣的概念就是如此。估计要不了二十年，科学就能把它造出来，而且让它很便宜，像今天的电子游戏机一样，在街上出售；穿上它就能前往另一个世界，假如软件丰富，想上哪儿就能上哪儿，想遇上谁就能遇上谁，想干啥就能干啥，而且不花什么代价——顶多出点软件钱。到了那一天，不知人们还有没有心思阅读文本，甚至识不识字都不一定。我靠写作为生，现在该做出何种决定呢？

大概是在六七十年代吧，法国有些小说家就这样提出问题：在电影时代，小说应该怎么写？该看到的电影都演出来了，该听到的广播也播出来了。托尔斯泰在《战争与和平》里花几十页写出的东西，用宽银幕电影几个镜头就能解决。还照经典作家的写法，没有人爱看，顶多给电影提供脚本——如我们所知，这叫生产初级产品，在现代社会里地位很低。在那时，电影电视就像比尔·盖茨的紧身衣，对艺术家来说，是天大的灾难。有人提出，小说应该向诗歌的方向发展。还有人说，小说该着重去写人内心的感受。这样就有了法国的新小说。还有人除了写小说，还去搞搞电影，比如已故的玛格丽特·杜拉斯。我对这些作品很感兴趣，但凭良心说，除杜拉斯的《情人》之外，近十几年来没读到过什么令人满意的小说。有人也许会提出最近风靡一时的《廊桥遗梦》，但我以为，那不过是一部文字化的电影。假如把它编成软件，钻到比尔·盖茨的紧身衣里去享受，会更过瘾一些。相比之下，我宁愿要一本五迷三道的法国新小说，也不要一部《廊桥遗梦》，这是因为，从小说自身的前途来看，写出这种东西解决不了问题。

真正的小说家不会喜欢把小说写得像电影。我记得米兰·昆德拉说过，小说和音乐是同质的东西。我讨厌这个说法，因为好像这世界上没有了音乐，就说不出小说该像什么了；但也不能不承认，这种说法有些道理。小说该写人内在的感觉，这是没有疑问的。但仅此还不够，还要使这些感觉组成韵律。音乐有种连贯的、使人神往的东西，小说也该有。既然难以言状，就叫它韵律好了。

本文的目的是要纪念已故的杜拉斯，谈谈她的小说《情人》，谁知扯得这样远——现在可以进入主题。我喜欢过不少小说，比方说，乔治·奥威尔的《1984》，还有些别的书。但这些小说对我的意义都不能和《情人》相比。《1984》这样的书对我有帮助，是帮我解决人生中的一些疑惑，而《情人》解决的是有关小说自身的疑惑。这本书的绝顶美好之处在于，它写出一种人生的韵律。书中的性爱和生活中别的事件，都按一种韵律来组织，使我完全满意了。就如达·芬奇画出了他的杰作，别人不肯看，那是别人的错，不是达·芬奇的错；米开朗琪罗雕出了他的杰作，别人不肯看，那是别人的错，不是米开朗琪罗的错。现代小说有这样的杰作，人若不肯看小说，那是人的错，不是小说的错。杜拉斯写过《华北情人》后说，我最终还原成小说家了。这就是说，只有书写文本能使她获得叙事艺术的精髓。这个结论使我满意，既不羡慕电影的镜头，也不羡慕比尔·盖茨的紧身衣。

（本篇最初发表于1996年5月29日《中华读书报》，发表时题目为“小说和盖茨的紧身衣”）

另一种文化

我老婆原是学历史的“工农兵大学生”。大学三年级时，有一天，一位村里来的女同学在班上大声说道：我就不知道什么是太监！说完了这话，还做顾盼自雄之状。班上别的同学都跟着说：我也不知道，我也不知道。就我老婆性子直，羞答答地说：啊呀，我可能是知道的，太监就是阉人嘛。人家又说：什么叫作阉人？她就说不出口，闹了个大红脸。当时她还是个女孩子，在大庭广众之下承认自己知道什么是太监、阉人，受了很大的刺激，好一阵子灰溜溜的，不敢见人也不敢说话。

但后来她就走向了反面，不管见到谁，总把这故事讲给别人听，末了还要加上一句恶毒的评论：哼，学历史的大学生不知道什么是太监，书都念到下水里去了！没有客人时，她就把这故事讲给我听。我听了二百来遍，实在听烦了。有一回，禁不住朝她大吼了一声：你就少说几句吧！人家是农村来的，牲口又不穿裤子——没见过阉人，还没见过阉驴吗！这一嗓子又把她吼了个大红脸，这一回可是真的受了刺激，老羞成怒了，有好几天不和我说话。假如说，这话是说村里来的女同学知道太监是什么，硬说不知道，我自己也觉得过分。假如说，这话是说那位女同学只知道阉驴不知道太监，那我吼叫些什么？所以，我也不知自己是什么意思。不知道自己什么意思，但还是有点意思，这就是种文化呀。

依我之见，文化有两方面的内容：一种是各种书本知识，这种文化我老婆是有的，所以她知道什么是太监。另一种是各种暧昧的共识，以及各种可意会不可言传的精妙气氛，一切尽在不言中——这种文化她没有，所以，她就不知道要说自己不知道什么是太监。你别看我说得头头是道，在这后一方面我也是个土包子。我倒能管住自己的嘴，但管不住自己的笔。我老婆是乱讲，我是乱写。我们俩都是没文化的野人。

我老婆读过了博士，现在是社会学家，做过性方面的研究，熟悉这方面的文献——什么 homo、S/M[1]，各种乱七八糟，她全知道。这样她就自以为很有学问，所到之处，非要直着脖子嚷嚷不可。有一次去看电影《霸王别姬》，演到关师傅责打徒弟一场，那是全片的重头戏。整个镜头都是男人的臀部，关师傅舞着大刀片（木头的）劈劈啪啪在上面打个

1 homo=homosexual，同性恋者；S/M=sadist/masochist，性施虐狂者/性受虐狂者。

不休，被打者还高呼：“打得好！师傅保重！打得好！师傅保重！”相信大家都知道应该看点什么，更知道该怎么看。我看到在场的观众都很感动，有些女孩眼睛都湿润了。这是应该的。有位圈内朋友告诉我，导演拍这一幕时也很激动，重拍了无数次，直到两位演员彻底被打肿。每个观众都很激动，但保持了静默……大家都是有文化的。就是我老婆，像个直肠子驴一样吼了出来：大刀片子不够性感！大刀片子是差了点意思，你就不能将就点吗？这一嗓子把整个电影院的文化气氛扫荡了个干净。所有的人都把异样的目光投向我们，我想找个地缝钻进去，但没有找到。最近，她又闹着要我和她去看《红樱桃》。我就是不去，在家里好好活着，有什么不好，非要到电影院里去找死……这些电影利用了观众的暧昧心理，确实很成功。

国内的大片还有一部《红粉》。由于《霸王别姬》的前车之鉴，我没和老婆一起看，是自己偷着看的。这回是我瞎操心，这片子没什么能让她吼出来的，倒是使我想打瞌睡。我倒能理解编导的创意：你们年轻人，生在红旗下，长在红旗下，知道什么是妓女吗？好吧，我来讲一个妓女的故事……满心以为我们听到妓女这两个字就会两眼发直。但是这个想法有点过分。在影片里，有位明星刮了头发做尼姑，编导一定以为我们看了大受刺激。这个想法更过分：见了小尼姑就两眼发直，那是阿Q！我们又不是阿Q。有些电影不能使观众感到自己暧昧，而是感到编导暧昧，这就不够成功。

影视方面的情形就是这样：编导们利用“一切尽在不言中”的文化氛围，确实是大有可为。但我们写稿子的就倒了霉：想要使文字暧昧、可意会不可言传，就只好造些新词、怪词，或者串几句英文。我现在正犯后一种毛病，而且觉得良心平安：英文虽然难懂，但毕竟是种人话，总比编出一种鬼话要强一点吧。前面所写的 homo、S/M，都是英文缩写。虽然难懂，但我照用不误。这主要是因为写出的话不够暧昧，就太过直露，层次也太低。这篇短文写完之后，你再来问我这些缩写是什么意思，我就会说：我也不知道，忘掉了啊。我尤其不认识一个英文单词，叫作 pervert，刚查了字典马上就忘。我劝大家也像我这样。在没忘掉之前，我知道是指一类人，害怕自己的内心世界，所以鬼鬼祟祟的。这些人用中国话来说，就是有点变态。假如有个 pervert 站出来说：我就是个 pervert，那他就不是个 pervert。当且仅当一个人声称：我就不知道 pervert 是什么时，他才是个 pervert。假如我说，我们这里有种 pervert 的气氛，好多人就是 pervert，那我就犯了众怒。假如我说，我们这里没有 pervert 的气氛，也没有人是 pervert，那恰恰说明我正是个 pervert。所以，我就什么都不说了。

（本篇最初发表于1996年第六期《三联生活周刊》杂志）

关于幽闭型小说

张爱玲的小说有种不同凡响之处，在于她对女人的生活理解得很深刻。中国有种老女人，面对着年轻的女人，只要后者不是她自己生的，就要想方设法给她罪受：让她干这干那，一刻也不能得闲，干完了又说她干得不好；从早唠叨到晚，说些尖酸刻薄的话——捕风捉影，指桑骂槐。现在的年轻人去过这种生活，一天也熬不下来。但是传统社会里的女人都得这么熬。直到多年的媳妇熬成了婆，这女人也变得和过去的婆婆一样刁。张爱玲对这种生活了解得很透，小说写得很地道。但说句良心话，我不喜欢。我总觉得小说可以写痛苦，写绝望，不能写让人心烦的事，理由很简单：看了以后不烦也要烦，烦了更要烦，而心烦这件事，正是多数中国人最大的苦难。也有些人烦到一定程度就不烦了——他也“熬成婆”了。

像这种人给人罪受的事，不光女人中有，男人中也有；

不光中国有，外国也有。我在一些描写航海生活的故事里看到过这类事，这个折磨人的家伙不是婆婆，而是水手长。有个故事好像是马克·吐温写的：有这么个千刁万恶的水手长，整天督着手下的水手洗甲板，擦玻璃，洗桅杆。讲卫生虽是好事，但甲板一天洗二十遍也未免过分。有一天，水手们报告说，一切都洗干净了。他老人家爬到甲板上看看，发现所有的地方都一尘不染，挑不出毛病，就说：好吧，让他们把船锚洗洗吧。整天这样洗东西，水手们有多心烦，也就不必再说了，但也无法可想：四周是汪洋大海，就算想辞活不干，也得等到船靠码头。实际上，中国的旧式家庭，对女人来说也是一条海船，而且永远也靠不了码头。你要是烦得不行，就只有跳海一途。这倒不是乱讲的，旧式女人对自杀这件事，似乎比较熟练。由此可以得到这样的结论：这种故事发生的场景，总是一个封闭的地方，人们在那里浪费着生命。这种故事也就带点幽囚恐怖症的意味。

本文的主旨，不是谈张爱玲，也不是谈航海小说，而是在谈小说里幽闭、压抑的情调。家庭也好，海船也罢，对个人来说，是太小的囚笼，对人类来说，是太小的噩梦。更大的噩梦是社会，更准确地说，是人文生存环境。假如一个社会长时间不进步，生活不发展，也没有什么新思想出现，对知识分子来说，就是一种噩梦。这种噩梦会在文学上表现出来。这正是中国文学的一个传统。这是因为，中国人相信天不变道亦不变，在生活中感到烦躁时，就带有最深刻的虚无感。这方面最好的例子，是明清的笔记小说。张爱玲的小说也带有这种味道：有忧伤，无愤怒；有绝望，无仇恨；看上去像个临死的人写的。我初次读张爱玲，是在美国，觉得她怪怪的。回到中国看当代中青年作家的作品，都是这么股味。这时才想到：也许不是别人怪，是我怪。

所谓幽闭类型的小说，有这么个特征：那就是把囚笼和噩梦当作一切来写。或者当媳妇，被人烦；或者当婆婆，去烦人；或者自怨自艾；或者顾影自怜。总之，是在不幸之中品来品去。这种想法我很难同意。我原是学理科的，学理科的不承认有牢不可破的囚笼，更不信有摆不脱的噩梦。人生唯一的不幸就是自己的无能。举例来说，对数学家来说，只要他能证明费马定理，就可以获得全球数学家的崇敬，自己也可以得到极大的快感，问题在于你证不出来。物理学家发明了常温核聚变的方法，也可马上体验幸福的感觉，但你也发明不出来。由此就得出这样的结论：要努力去做事，拼命地想问题，这才是自己的救星。

怀着这样的信念，我投身于文学事业。我总觉得一门心思写单位里那些烂事，或者写些不愉快的人际冲突，不是唯一可做的事情。举例来说，可以写《爱丽丝漫游奇境记》这样的作品，或者，像卡尔维诺《我们的祖先》那样的小说。文学事业可以像科学事业那样，成为无边界的领域，人在其中可以投入澎湃的想象力。当然，这很可能是个馊主意。我自己就写了这样一批小说，其中既没有海船，也没有囚笼，只有在它们之外的一些事情。遗憾的是，这些小说现在还在主编手里压着出不来，他还用一种本体论的口吻说道：他从哪里来？他是谁？他到底写了些什么？

（本篇最初发表于1996年第八期《博览群书》杂志）

从《黄金时代》谈小说艺术

《黄金时代》这本书里，包括了五部中篇小说。其中《黄金时代》一篇，从二十岁时就开始写，到将近四十岁时才完篇，其间很多次地重写。现在重读当年的旧稿，几乎每句话都会使我汗颜，只有最后的定稿读起来感觉不同。这篇三万多字的小说里，当然还有不完美的地方，但是我看到了以后，丝毫也没有改动的冲动。这说明小说有这样一种写法，虽然困难，但还不是不可能。这种写法就叫作追求对作者自己来说的完美。我相信对每个作者来说，完美都是存在的，只是不能经常去追求它。据说迪伦马特写《法官和他的刽子手》，也写了很多年。写完以后说：今后再也不能这样写小说了。这说明他也这样写过。一个人不可能在每篇作品里做到完美，但是完美当然是最好的。

有一次，有个女孩子问我怎样写小说，并且说她正有要写小说的念头。我把写《黄金时代》的过程告诉了她。下次再见面，问她的小说写得怎样了，她说，听说小说这么难写，她已经把这个念头放下了。其实在这本书里，大多数章节不是这样呕心沥血地写成的，但我主张，任何写小说的人都不妨试试这种写法。这对自己是有好处的。

这本书里有很多地方写到性。这种写法不但容易招致非议，本身就有媚俗的嫌疑。我也不知为什么，就这样写了出来。现在回忆起来，这样写既不是为了找些非议，也不是想要媚俗，而是对过去时代的回顾。众所周知，六七十年代，中国处于非性的年代。在非性的年代里，性才会成为生活主题，正如饥饿的年代里吃会成为生活的主题。古人说：食色性也。想爱和想吃都是人性的一部分，如果得不到，就成为人性的障碍。

然而，在我的小说里，这些障碍本身又不是主题。真正的主题，还是对人的生存状态的反思。其中最主要的一个逻辑是：我们的生活有这么多的障碍，真他妈的有意思。这种逻辑就叫作黑色幽默。我觉得黑色幽默是我的气质，是天生的。我小说里的人也总是在笑，从来就不哭，我以为这样比较有趣。喜欢我小说的人总说，从头笑到尾，觉得很有趣，等等。这说明本人的作品有自己的读者群。当然，也有些作者以为哭比较使人感动。他们笔下的人物从来就不笑，总在哭。这也是一种写法。他们也有自己的读者群。有位朋友说，我的小说从来没让她感动过。她就是个爱哭的人，误读了我的小说，感到很失落。我这样说，是为了让读者不再因为误读我的小说感到失落。

现在严肃小说的读者少了，但读者的水平是大大提高了。在现代社会里，小说的地位和舞台剧一样，正在成为一种高雅艺术。小说会失去一些读者，其中包括想受道德教育的读者，想看政治暗喻的读者，感到性压抑、寻找发泄渠道的读者，无所事事想要消磨时光的读者；剩下一些真正读小说的人。小说也会失去一些作者——有些人会去下海经商，或者搞影视剧本，最后只剩下一些真正写小说的人。我以为这是一件好事。

（本篇最初发表于 1997 年第五期《出版广角》杂志）

《怀疑三部曲》序

这本书里包括了我近年来写的三部长篇小说。我写长篇小说是很不适合的，主要的原因在于记忆力方面的缺陷。我相信如果不能把已写出的每一根线索都记在心里，就不能写出好的结构，如果不能把写出的每一句话记在心里，就不能写出好的风格。对我来说，五万字以下的篇幅是最合适的。但是这样的篇幅不能表达复杂的题目。

我从很年轻时就开始写小说，但一直不知自己为什么要写，写的是些什么。直到大约十年前，我在美国读《孟子》，深刻地体验到孟子的全部学说来自于一种推己及人的态度，这时才猛省到，人在写作时，总免不了要推己及人。有关人的内心生活，所有的人都知道一个例子，就是自己。以自己的品行推论他人，就是以一个个案推论无限总体。在统计上可以证明这是很不可靠的做法，但是先贤就这样做了。自己这样想了，就希望人同此心，这种愿望虽不合理，但却是不可避免。一个个案虽不能得到可靠的推论，但是可以成立为假设。这是因为要做出假设，可以一个个案都没有，虽然多数假设都受到了一个个案的启迪。

我的三大基本假设都是这样得到的。第一个假设是：凡人都热爱智慧——因为我自己就热爱智慧，虽然这可能是因为我很低能。所谓智慧，我指的是一种进行理性思维时的快乐。当然，人有贤愚之分，但一个人认为思维是快乐的，那他就可说是热爱智慧的。我现在对这一点甚为怀疑，不是怀疑自己，而是怀疑每个人都热爱智慧。我写《寻找无双》时，心里总是在想这个问题。

第二个假设是凡人都热爱异性，因为我自己就是这样的。我很喜欢女孩子，不管她漂亮不漂亮。我也很喜欢和女孩子交往——这仅仅是因为她是异性。我不认为这是罪恶的念头。但是这一点现在看来甚为可疑。我写《革命时期的爱情》时，这个念头总在我心间徘徊不去。

第三个假设是凡人都喜欢有趣。这是我一生不可动摇的信条，假如这世界上没有有趣的事我情愿不活。有趣是一个开放的空间，一直伸往未知的领域，无趣是个封闭的空间，其中的一切我们全部耳熟能详。《红拂夜奔》谈的是这一点。现在我承认有很多人是根本不喜欢有趣的。我所能希望的最好情况就是能够证明还有少数人也喜欢有趣。

有位希腊名医说：这个人的美酒佳肴，就是那个人的穿肠毒药。我认为没有智慧、性爱而且没意思的生活不足取，但有些人却以为这样的生活就是一切。他们还说，假如有什么需要热爱，那就是这种生活里面的规矩——在我看来，这种生活态度简直是种怪癖。很不幸的是，有这种怪癖的人是很多的，有人甚至把这种怪癖叫作文化，甚至当作了生活本身。在他们的作品里弥漫着这种情绪，可以看出，他们写作时也免不了推己及人，希望人人都有这种情绪。这种想法我实在没法同意，所以，写作又多了一重任务——和别人作伦理上的讨论。我最讨厌在小说里做这样的事，但在序言里写上几句又当不同，而且有关智慧、性爱和有趣，我还可以谈得更多一些。

罗素先生幼年时，曾沉迷于一种悲观的心境之中。五岁的时候他想：人的一生有七十岁（这是《圣经》上说的），我这不幸的一生到此才过了十四分之一！但随后他开始学习几何学，体验到智慧为何物，这种悲哀就消散到了九霄云外。人可以获得智慧，而且人类的智慧总在不断地增长之中。假如把这两点排除在外，人活着就真没什么意思了。至于性，弗洛伊德曾说，它是一切美的来源。当然，要想欣赏美，就不要专注于性器官，而是去欣赏人对别人的吸引力。我可以说服别人相信智慧是好的，性爱是好的，但我没法说服一个无趣的人，让他相信有趣是好的。有人有趣，有人无趣，这种区别是天生的。

一九八〇年，我在大学里读到了乔治·奥威尔（G. Orwell）的《1984》，这是一个终生难忘的经历。这本书和赫胥黎（A. L. Huxley）的《奇妙的新世界》、扎米亚京（Y. I. Zamyatin）的《我们》并称反面乌托邦三部曲，但是对我来说，它已经不是乌托邦，而是历史了。不管怎么说，乌托邦和历史还有一点区别。前者未曾发生，后者我们已经身历。前者和实际相比只是形似，后者则不断重演，万变不离其宗。乔治·奥威尔的噩梦在我们这里成真，是因为有些人以为生活就该是无智无性无趣。他们推己及人，觉得所有的人都有相同的看法。既然人同此心，就该把理想付诸实现，构造一个更加彻底的无趣世界。因此应该有《寻找无双》，应该有《革命时期的爱情》，还应该有《红拂夜奔》。我写的是内心而不是外形，是神似而不是形似。细读过《孟子》之后，我发现里面全是这样一些想法。这世界上有很多书都是这样的：内容无可挑剔，只是很没有意思。除了显而易见的坏处，这种书还有一种害人之处就在于：有人从这些书中受到了鼓舞，把整个生活朝更没意思的方向推动。孟子认为所有的人都应该把奉承权威当作一生最主要的事业，并从中得到乐趣。有关这一点，可以从“乐之实”一节得到证明。这个权威在家里是父亲和兄长，在家外是君王和上级。现在当然没有了君王，但是还有上级，还有意识形态。我丝毫不同意他的观点。我很爱我故世的父亲，但是不喜欢奉承他。我也很爱我哥哥，他的智能高我十倍，和他谈话是我所能得到的最大乐趣。但我要是去拍他的马屁，我们俩都会很痛苦。总而言之，我不能从奉承和顺从中得到乐趣。

我总觉得不止我一个人有这样的想法。既然如此，我们为什么不说呢？有句话我们常说：不说话也没人把你当哑巴卖了。很不幸的是，假如你不肯站出来说，有趣是存在的，别人就会以为你和他一样是个无趣的人。到现在为止，这世界上赞成无趣的书比赞成有趣的书多得多，这就是证明。人的生活应该无智无性无趣，在我们这里仿佛已经成了人间的至理。好在哲学领域里，已经有人在反对无聊的乌托邦，反对那些以无趣推及有趣，以愚蠢推及智慧的人，比方说，波普先生。谁要是有兴趣，不妨找本波普的书来看看。作为写小说的人，我要做的不是这样的事情。小说家最该做的事是用作品来证明有趣是存在的，但很不幸的是，不少小说家做的恰恰是相反的事情。

有一本书叫作 *Word Is Out*，虽然我对书里的内容不能赞同，但是我赞成这个题目。有些话仿佛永远讲不出口，仅仅是因为别人已经把反对它的话讲了出来。因此这些话就成了心底的暗流，形不成文字，也形不成话语，甚至不能形成有条理的思路——它就变成了郁结的混沌。而已经讲出的话则被人们一再重复，结构分明地架在混沌之上。我看到一个无智的世界，但是智慧在混沌中存在；我看到一个无性的世界，但是性爱在混沌中存在；我看到一个无趣的世界，但是有趣在混沌中存在。我要做的就是把这些讲出来。

在我的小说里已经谈到了我的人生态度，我认为这应该是对人类，或者中国人人生态度研究的宝贵材料。假设大家都像我一样坦白，我们就用不着推己及人，而可以用统计的方法求证。这就是说，写作的意义不仅是在现在，而且在于未来。坦白不光是浅薄，而且是勇气。这些话对于一本小说来说，只是题外之语。大家在小说里看到的，应该是有趣本身。

（作者曾计划将《寻找无双》《革命时期的爱情》和《红拂夜奔》三部长篇小说结集出版，取名为《怀疑三部曲》，本篇与下一篇《〈怀疑三部曲〉后记》是作者为该书所作，它们最初发表于1997年第五期《出版广角》杂志。）

《怀疑三部曲》后记

《怀疑三部曲》是我在一九九三年以后写成的。它们属于严肃文学。我以为自己可以写些严肃的东西，中国也可以有严肃文学。这种看法未必对，但总该试试。顺便说一句，我以为严肃文学就是乍读起来有点费劲的东西。假如作者在按自己的思路解释一些事，这种文章总会让人感到费解，读者往往不能原谅这一点。请相信，我自己原来也不准备原谅这一点。但经过反复思量，发现不严肃有些东西就写不出来，结果才走上了这条路。我认为，严肃文学的作者最终会被一些读者原谅，因为他的书最终会给读者带来好的感觉；但也有些读者始终不会原谅他们，因为费力地读完全书后，没有一丁点好的感觉。然而，只要有前一种读者存在，严肃文学就是必要的。

从某种意义上说，严肃文学是一种游戏，它必须公平。对于作者来说，公平就是：作品可以艰涩（我觉得自己没有这种毛病）；可以荒诞古怪，激怒古板的读者（我承认自己有这种毛病）；还可以有种种使读者难以适应的特点。对于读者来说，公平就是在作品的毛病背后，必须隐藏了什么，以保障有诚意的读者最终会有所得。考虑到是读者掏钱买书，我认为这个天平要偏向读者一些，但是这种游戏绝不能单方面进行。尤其重要的是：作者不能太笨，读者也不能太笨。最好双方大致是同一水平。假如我没搞错的话，现在读者觉得中国的作者偏笨了一些。对于这些读者，我可以诚心诚意地保证说：我绝不至于太笨。假如你把本书读完，还有余兴来读这篇后记，一定会同意我的看法。

用一生来学习艺术

我念过文科，也念过理科。在课堂上听老师提到艺术这个词，还是理科的老师次数更多：化学老师说，做实验有实验艺术；计算机老师说，编程序有编程艺术。老师们说，怎么做对是科学，怎么做好则是艺术；前者有判断真伪的法则，后者则没有；艺术的真谛就是要叫人感到好，甚至是完美无缺；传授科学知识就是告诉你这些法则，而艺术的修养是无法传授的，只能够潜移默化。这些都是理科老师教给我的，我觉得比文科老师讲得好。

没有科学知识的人比有科学知识的人更容易犯错误；但没有艺术修养的人就没有这个缺点，他还有容易满足的好处。假如一个社会里，人们一点文学修养都没有，那么任何作品都会使他们满意。举个例子说，美国人是不怎么读文学书的，一部《廊桥遗梦》就可以使他们如痴如狂。相反，假如在某个国家里，欣赏文学作品是他们的生活方式，那就只有最好的作品才能使他们得到满足。我想，法国最有资格算作这类国家。一部《情人》曾使法国为之轰动。大家都知道，这本书的作者是刚去世不久的杜拉斯。这本书有四个中文译本，其中最好的当属王道乾先生的译本。我总觉得读过了《情人》，就算知道了现代小说艺术；读过道乾先生的译笔，就算知道什么是现代中国的文学语言了。

有位作家朋友对我说，她很喜欢《情人》那种自由的叙事风格。她以为《情人》是信笔写来的，是自由发挥的结果。我的看法则相反，我认为这篇小说的每一个段落都经过精心的安排：第一次读时，你会感到极大的震撼；但再带着挑剔的眼光重读几遍，就会发现没有一段的安排经不起推敲。从全书第一句“我已经老了”，给人带来无限的沧桑感开始，到结尾的一句“他说他爱她将一直爱到他死”，带来绝望的悲凉终，感情的变化都在准确的控制之下。叙事没有按时空的顺序展开，但有另一种逻辑作为线索，这种逻辑我把它叫作艺术——这种写法本身就是种无与伦比的创造。我对这件事很有把握，是因为我也这样写过：把小说的文件调入电脑，反复调动每一个段落，假如原来的小说足够好的话，逐渐就能找到这种线索；花上比写原稿多三到五倍的时间就能得到一篇新小说，比旧的好得没法比。事实上，《情人》也确实是这样改过，一直改到改不动，才交给出版社。《情人》这种现代经典与以往小说的不同之处，在于它需要更多的心血。

我的作家朋友听了以后感觉有点泄气：这么写一本书，也不见得能多赚稿费，不是亏了吗？但我以为，我们一点都不亏。现在世界上已经有了杜拉斯，有了《情人》，这位作家和她的作品给我们一个范本，再写起来已经容易多了。假如没有范本，让你凭空去创造这样一种写法，那才是最困难的事。六七十年代，法国有一批新小说作家，立意要改变小说的写法，作品也算是好看，但和《情人》是没法比的。有了这样的小说，阅读才不算是过时的陋习——任凭你有宽银幕、环绕立体声，看电影的感觉终归不能和读这样的小说相比。

译《情人》的王道乾先生已经在前几年逝世了。虽然没有见过面，但他是我真正尊敬的前辈。我知道他原是位诗人，四十年代末曾到法国留学，后来回来参加祖国建设，一生坎坷，晚年搞起了翻译。他的作品我只读过《情人》，但已使我终身受益。另一篇使我终身受益的作品是查良铮（穆旦）先生译的《青铜骑士》。从他们那里我知道了一个简单的真理：文字是用来读的，不是用来看的。看起来黑鸦鸦的一片，都是方块字，念起来就大不相同。诗不光是押韵，还有韵律；散文也有节奏的快慢，或低沉压抑，沉痛无比，或如黄钟大吕，回肠荡气——这才是文字的筋骨所在。实际上，世界上每一种文学语言都有这种筋骨。当年我在美国留学，向一位老太太学英文，她告诉我说，不读莎士比亚，不背弥尔顿，就根本不配写英文——当然，我不会背弥尔顿，是不配写英文的了，但中文该怎么写，始终是个问题。

古诗是讲平仄的，古文也有韵律，但现在写这种东西就是发疯；假如用白话来写，用哪种白话都是问题。张爱玲晚年执意要写苏白，她觉得苏白好听。这种想法不能说没有道理，但文章里的那些字我都不知该怎么念。现在作家里用北方方言写作的很多，凭良心说，效果是很糟心的。我看到过的一种最古怪的主意，是钱玄同出的，他建议大家写《儒林外史》那样的官话。幸亏没人听，否则会把大家都写成迂夫子的。这样一扯就扯远了。这个问题现在已经解决了，我们已经有了一种字正腔圆的文学语言，用它可以写最好的诗和最好的小说，那就是道乾先生、穆旦先生所用的语言。不信你去找本《情人》或是《青铜骑士》念上几遍，就会信服我的说法。

本文的主旨是怀念那些已经逝去的前辈，但却从科学和艺术的区别谈起。我把杜拉斯、道乾先生、穆旦先生看作我的老师，但这些老师和教我数学的老师是不同的——前者给我的是一些潜移默化，后者则教给我一些法则。在这个世界上，前一种东西更难得到。除此之外，比如科学、艺术更能使人幸福，因为这些缘故，文学前辈也是我更爱的人。

以上所述，基本上是我在文学上所知道的一切。我没有读过大学的中文系，所以孤陋寡闻，但我以为，人活在世上，不必什么都知道，只知道最好的就够了。为了我知道的这些，我要感谢杜拉斯，感谢王道乾和穆旦——他们是我真正敬爱的人。

（本篇最初发表于 1997 年第五期《出版广角》杂志）

我对小说的看法

我自幼就喜欢读小说，并且一直以为自己可以写小说，直到二十七八岁时，读到了图尼埃尔（Tournier，M.）的一篇小说，才改变了自己的看法。在不知不觉之中，小说已经发生了很大的变化。现代小说和古典小说的区别，就像汽车和马车的区别一样大。现代小说中的精品，再不是可以一目十行往下看的了。为了让读者同意我的意见，让我来举一个例子：杜拉斯（Duras，M.）《情人》的第一句是——“我已经老了。”无限沧桑尽在其中。如果你仔细读下去，就会发现，每句话的写法大体都是这样的，我对现代小说的看法，就是被《情人》固定下来的。现代小说的名篇总是包含了极多的信息，而且极端精美，让读小说的人狂喜，让打算写小说的人害怕。在经典作家里，只有俄国的契诃夫（Chekhov，A.P.）偶尔有几笔写成这样，但远不是通篇都让人敬畏。必须承认，现代小说家曾经使我大受惊吓。我读过的图尼埃尔的那篇小说，叫作《少女与死》，它只是一系列惊吓的开始。

因为这个发现，我曾经放弃了写小说，有整整十年在干别的事，直到将近四十岁，才回头又来尝试写小说。这时我发现，就是写过一些名篇的现代小说家，平常写的小说也是很一般的。瑞士作家迪伦马特（Dürrenmatt，F.）写完了他的名篇《法官和他的刽子手》之后，坦白说，这个长中篇耗去了他好几年的光阴，而且说，今后他不准备再这样写下去了。此后他写了很多长篇，虽然都很好看，但不如《法官和他的刽子手》精粹。杜拉斯也说，《情人》经过反复修改，每一段、每一句都重新安排过。照我看，她的其他小说都不如《情人》好。他们的话让人看了放心，说明现代小说家也不是一群超人。他们有些惊世骇俗的名篇，但是既不多，也不长。虽然如此，我还是认为，现代小说中几个中篇，如《情人》之类，比之于经典作家的鸿篇巨制毫不逊色。爱好古典文学的人也许不会同意我的看法，我也没打算说服他们。但我还是要说，我也爱好过古典文学，而在影视发达的现代，如果没有现代小说，托尔斯泰并不能让我保持阅读的习惯。

我认为，现代小说的成就建筑在不多的几个名篇上，虽然凭这几篇小说很难评上诺贝尔文学奖，但现代小说艺术的顶峰就在其中。我的抱负也是要在一两篇作品里达到这个水平。我也特别喜欢写长中篇（六万字左右），比如我的《未来世界》，就是这么长。《情人》《法官和他的刽子手》等名篇也是这么长。当然，这样做有东施效颦之嫌。在我写过的小说里，《黄金时代》（《联合报》第十三届中篇小说奖）是我最满意的，但是还没达到我希望的水准，所以还要继续努力。

生活和小说

罗素先生曾说，从一个假的前提出发，什么都能够推论出来。照我看这就是小说的实质。不管怎么说，小说里可以虚构。这就是说，在一本小说里，不管你看到什么千奇百怪的事，都不应该诧异，更不该指责作者违背了真实的原则，因为小说就是假的呀。

据说罗素提出这一命题时，遭到了好多人的诘难。我对逻辑知道得不多，但我是罗素先生热烈的拥护者。这是因为除了写小说，我还有其他的生活经验。比方说，做几何题。做题时，有时你会发现各种千奇百怪的结果不断地涌现，这就是说，你已经出了一个错，正在假的前提上推理。在这种情况下，你不仅可以推出三角形的内角之和超过了一百八十度，还可以把现有的几何学知识全部推翻。从做题的角度出发，你应该停止推论，从头检查全部过程，找到出错的地方，把那以后的推论全部放弃。这种事谁都不喜欢。所以我选择了与真伪无关的职业——写小说。凭良心说，我喜欢千奇百怪的结果——我把这叫作浪漫。但这不等于我就没有能力明辨是非了。

生活里浪漫的事件很多。举例言之，二十四年前，我作为知识青年上山下乡去了。以此为契机，我的生活里出现了无数千奇百怪的事情，故而我相信这些事全都出自一个错误的前提。现在我能够指出错出在什么地方：说我当时是知识青年，青年是很够格的（十六岁），知识却不知在哪里。用培根的话来说，知识就是力量，假如我们真有知识，到哪里都有办法。可怜那时我只上了七年学，如果硬说我有什么知识，那只能是对“知识”二字的污蔑。不管怎么说，这个错误不是我犯的，所以后来出了什么事，都不由我负责。

因为生活对我来说，不是算草纸，可以说撕就撕，所以到后来我不再上山下乡时，已经老了好多。但是我的生活对于某些人来说却的确是算草纸，可以拿来乱写乱画。其实我又算得了什么，不过是千万人中的一个。像上山下乡这样的事，过去有，现在有，将来保不准还会有的。对此当然要有个正确的态度，用上纲上线的话来说，就叫作“正确对待”。这种态度我已经有了。

我们不妨把过去的生活看作小说，把过去的自己看成小说中的人物，这样心情会好得多。因为不管怎么说，那都是从假命题开始的推理，不能够认真对待。如果这样看待自己的过去，就能看出不少可歌可泣的地方。至于现在和未来是不是该这样看待，则要看现在是不是还有错误的前提存在。虽然我们并不缺少明辨是非的能力。凭良心说，我希望现实的世界在理性的世界里运作，一点毛病都没有。但是像这样的事，我们自己是一点也做不了主的。

现在的人不大看小说了，专喜欢看纪实文学。这说明我们的生活很有趣味，带有千奇百怪的特征。不管怎么说，有趣的事多少都带点毛病，不信你看有趣的纪实文学，总是和犯罪之类的事有关系。假如这些纪实文学记的都是外国，那倒是无所谓，否则不是好现象。至于小说越来越不好看，则有另外的原因。这是因为有人要求它带有正确性、合理性、激励人们向上，等等，这样的小说肯定无趣。换言之，那些人用现实所应有的性质来要求小说、电影等。我听人说，这样做的原因是小说和电影比现实世界容易管理，如此说来，这是出于善良的动机，正如堂吉诃德挑风车也是出于善良的动机。但是这样做的结果却很不幸。因为现实世界的合理性里就包括有趣的小说和电影，故而这样做的结果是使现实世界更加不合理了。由于这些人士的努力，世界越来越不像世界，小说越来越不像小说。我们的处境正如老美说的，在 middle of nowhere。这是小说发生的地方，却不是写小说的地方。

关于文体

自从我开始写作，就想找人谈谈文体的问题，但总是找不到。和不写作的人谈，对方觉得这个题目索然无味；和写作的人谈，又有点谈不开。既然写作，必有文体，不能光说别人不说自己。文体之于作者，就如性之于寻常人一样敏感。

把时尚排除在外，在文学以内讨论问题，我认为最好的文体都是翻译家创造出来的。傅雷先生的文体很好，汝龙先生的文体更好。查良铮先生的译诗、王道乾先生翻译的小说——这两种文体是我终生学习的榜样。必须承认，我对文体有特殊的爱好，别人未必和我一样。但我相信爱好文学的人会同意我这句话：优秀文体的动人之处，在于它对韵律和节奏的控制。阅读优美的文字会给我带来极大的快感。好多年以前，我在云南插队，当地的傣族少女身材极好。看到她们穿着合身的筒裙婀娜多姿地走路，我不知不觉就想跟上去。

阅读带来的快感可以和这种感觉相比。我开始写作，是因为受了好文章的诱惑——我自己写得怎样，当然要另说。

前辈作家中，有一部分用方言来写作，或者在行文中带出方言的影响来，我叫它方言体。其中以河北和山西两地的方言最为常见。河北人说话较慢，河北方言体难免拖沓。至于山西方言体，我认为它有难懂的毛病——最起码“圪蛋”（据说山西某些地区管大干部叫大“圪蛋”）这个词对山西以外的读者来说，就不够通俗。“文化大革命”中出版的文艺作品用方言体的很多，当时的作者以为这样写更乡土些，更乡土就更贴近工农兵，更贴近工农兵也就更革命——所以说，方言体也就是革命体。当然，不是每种方言都能让人联想到革命。必须是老根据地所在省份的方言才有革命的气味。用苏白写篇小说，就没有什么革命的气味。

自方言体之后，影响最大的文体应该是苏晓康写报告文学的文体，或称晓康体。这种文体浮嚣而华丽，到现在还有人模仿。念起来时最好拖着长腔，韵味才足，并且好用三个字的词组，比如“共和国”“启示录”之类。在晓康体里，前者是指政府，后者是指启示，都属误用。晓康体写多了，人会退化成文盲的。

现在似乎出现了一种新的文体。我们常看到马晓晴和葛优在电视屏幕上说一种话，什么“特”这个，“特”那个，其实是包含了特多的傻气，这种文体与之相似。所以我们就叫它撒娇打痴体好了。其实用撒娇打痴体的作者不一定写特字，但是肯定觉得做个聪明人特累。时下一些女散文作家（尤其是漂亮的）开始用撒娇打痴体写作。这种文体不用写多了，只消写上一句，作者就像个大头傻子。我也觉得自己活得特累，但不敢学她的样子。我全凭自己的聪明混饭吃。这种傻话本该是看不进去的，但把书往前一翻，看到了作者像：她蛮漂亮的，就感觉她是在搔首弄姿，而且是朝我来的。虽然相片漂亮，真人未必漂亮；就算满脸大麻子，拍照前还不会用腻子腻住？但不管怎么说吧，那本书我还真看下去了——当然，读完就后悔了。赶紧努力把这些傻话都忘掉，以免受到影响。作者怕读坏文章，就是怕受坏影响。

以上三种文体的流行，都受到了时尚的左右。方言体流行时，大家都羡慕老革命；晓康体流行时，大家都在虚声恫吓；而撒娇打痴体之流行，使我感觉到一些年轻的女性正努力使自己可爱一些。一个漂亮女孩冒点傻气，显得比较可爱——马晓晴就是这么表演的。我们还知道西施有心绞痛并因此更加可爱，心绞痛也该可以形成一种文体。以此类推，更可爱的文体应该是：“拿硝酸甘油来！”但这种可爱我们消受不了。我们已经有了一些医学知识，知道心绞痛随时有可能变成心肌梗死，塞住了未必还能活着。大美人随时可能死得直翘翘，也就不可爱了。

如前所说，文体对于作者，就如性对寻常人一样重要。

我应该举个例子说明我对恶劣文体的感受。大约是在七〇年，盛夏时节，我路过淮河边上一座城市，当时它是一大片低矮的平房。白天热，晚上更热。在旅馆里睡不着，我出来走走，发现所有的人都在树下乘凉。有件事很怪：当地的男人还有些穿上衣的，中老年妇女几乎一律赤膊。于是，水银灯下呈现出一片恐怖的场面。当时我想：假如我是个天阉，感觉可能会更好一点。恶劣的文字给我的感受与此类似：假如我不识字，感觉可能会更好。

长虫·草帽·细高挑

近来买了本新出的《哈克贝利·芬历险记》。这本书我小时候很爱看，现在这本是新译的——众所周知，新译的书总是没有老版本好。不过新版本也不是全无长处，篇首多了一篇吐温瞎编的兵工署长通告，而老版本把它删了。通告里说：如有人胆敢在本书里寻找什么结构、道德寓意等，一律逮捕、流放，乃至枪毙。马克·吐温胆子不小，要是现在国内哪位作家胆敢仿此通告一番：如有人敢在我的书里寻找文化源流或可供解构的东西，一律把他逮捕、流放、枪毙，我看他会第一个被枪毙。现在各种哲学，甚至是文化人类学的观点，都浩浩荡荡杀入了文学的领域。作家都成了文化批评的对象，或者说，成了老太太的尿盆——挨呲儿的货。连他们自己都从哲学或人类学上给自己找写作的依据，看起来着实可怜，这就叫人想起了电影《霸王别姬》里张丰毅演的角色，屁股上挨了板子，还要说：打得好，师傅保重。哲学家说，存在的就是合理的。一种情形既然出现了，就必然有它的原因。再说，批评也是为了作家好。但我现在靠写作为生，见了这种情形，总觉得憋气。

我家乡有句歇后语：长虫戴草帽，混充细高挑——老家人以为细高挑是种极美丽的身材，连长虫也来冒充。文化批评就是揭去作家头上的草帽，使他们暴露出爬行动物的本色。所谓文学是不存在的，存在的只有文化——这是一种特殊的混沌，大家带着各种丑恶的心态生活在其中。这些心态总要流露出来，这种流露就是写作——假如这种指责是成立的，作家们就一点正经的都没有，是帮混混。我不敢说自己是作家，也不认识几个作家，没理由为作家叫屈。说实在的，按学历我该站在批评的一方，而不是站在受批评的一方。但若说文学事业的根基——写作——是这样一种东西，我还是不能同意。

过去我是学理科的。按照 C. P. 格林的观点，正如文学是文学家的文化，科学也是科学家的文化。对科学的文化批评尚未兴起，而且我不认为它有可能兴起。但这不是说没人想要批评科学。人文学者，尤其是哲学家，总想拿数学、物理说事，给它们若干指导。说归说，数学家、物理学家总是不理，说得实在外行时，就拿它当个笑话讲。我当研究生时，有位著名的女人类学家对统计学提出了批评，说没必要搞得这么复杂、高深。很显然，这位女士想要“解构”数学的这一分支。上课之前老师把这批评给大家念了念，师生一起捧腹大笑，其乐也融融——但文学家很少有这种欢笑的机会。数学家笑，是因为假如一个人不演算，也不做公式推导，哪怕你后现代哲学懂得再多，也没有理由对数学说三道四。但这句话文学家就不敢说。同样是文化，怎么会有这种不同的境遇呢？这原因大家恐怕都想到了：文学好像人人都懂，而数学，则远不是人人都懂的。

罗素先生说得好：人人理应平等，实际上却远不是这样——特别是人与人有知识的差别。这一点在大学里看得最明白：搞科学哲学的教授，尽管名声很大，实际上见了学物理的研究生都要巴结，而物理学家见了数学家，气焰也要减几分，因为就连爱因斯坦都有求职业数学家帮忙的时候。说起一门学问，我会你不会，咱俩就没法平等。看起来，作家们必须从反面理解这种差别：他要巴结的不仅是文艺批评家、文艺理论家，还有哲学家、人类学家、社会学家，甚至要包括每一个文科毕业的学生——只要该学生不是个作家，因为不管谁说出句话来，你听不懂，就只好撅屁股挨打，打你的人火气还特大。我总觉得这事有点不对头。假如挨两下能换来学问，也算挨得值，但就怕碰上蒙事、打几下便宜手的人。我知道一句话，估计除了德宏州的景颇人谁也听不懂：呜！阿靠！卡路来！似乎批评家要想知道意思也得让我打两下，但我没这么坏，不打人也肯把意思说出来。这话是我插队时学来的，意思是：喂，大哥，上哪儿去呀？就凭一句别人听不懂的景颇话打人，我也未免太心黑了一点——那也没有凭几句哲学咒符打人黑。

文化批评还不全是“呜阿靠卡路来”。它有很大的正面意义，其中最重要的是可以鼓舞作家自爱、自强、自重。一种跨学科的统治一切的欲望，像幽灵一样四处游荡——可怎么偏偏是你遇上了这个鬼？俗话说，老太太买柿子，拣软的捏。但一枚柿子不能怪人家来捏你，要反省自己为什么被捏。对罗素先生的话也可以作适度的推广：人与人不独有知识的差异，还有能力的差异——我的意思是说，写作一道，虽没有很深的学问，也远不是人人都会。作家可以在两个方面表现这种差异：其一是文体，傅雷、汝龙、王道乾，这些优秀翻译家都是文体大师。谁要想解构就去解好了，反正那样的文章你写不出来。其二是想象力，像卡尔维诺的《我们的祖先》，尤瑟纳尔的《东方奇观》，里面充满了天外飞龙般的想象力，这可是个硬指标，而且和哲学、人类学、社会学都不搭界。捏不动的硬柿子还有一些，比方说，马克·吐温的幽默。在所有的柿子里，最硬的是莎翁，从文字到故事都无与伦比。当然，搞文化批评的人早就向莎翁开战了，说他的《驯悍记》是男性中心主义的作品。说这个没用，他老人家是人，又没学会喝风屙烟，编几个小剧本到小剧场里搞搞笑，赚几个小钱，这又有什么。再说，人家还有四大悲剧哩——你敢挑四大悲剧的毛病吗？我现在靠写作为生，写上一辈子，总得写出些让别人解构不了的东西。我也不敢期望过高，写到有几分像莎翁就行了。到那时谁想摘我的草帽，就让他摘好了：不摘草帽是个细高挑，摘了还是个细高挑……

卡尔维诺与未来的一千年

朋友寄来一本书，卡尔维诺的《未来千年备忘录》，我正在看着。这本书是他的讲演稿，还没来得及讲，稿也没写完，人就死了。这些讲演稿分别冠以如下题目：轻逸、迅速、易见、确切和繁复。还有一篇“连贯”，没有动笔写；所以我整天在捉摸他到底会写些什么，什么叫作“连贯”。卡尔维诺指出，在未来的一千年里，文学会继续繁荣，而这六项文学遗产也会被发扬光大。我一直喜欢卡尔维诺，看了这本书，就更加喜欢他了。

卡尔维诺的《我们的祖先》，看过的人都喜欢。这是他年轻时的作品，我以为这本书是“轻逸”的典范。中年以后，他开始探索小说艺术的无限可能，这时期的作品我看过《看不见的城市》——这本书不见得人人都会喜欢。我也不能强求大家喜欢他的每一本书，但是我觉得必须喜欢他的主意：小说艺术有无限种可能性。难道这不好吗？前不久有位朋友看了我的小说，对我说道：看来小说还能有新的写法——这种评价使我汗颜，我还没有探索无限，比卡尔维诺差得远。我觉得这位朋友的想法有问题——假如他不是学文学的博士而是个一般读者的话，那就没有问题了。

编辑先生邀我给名人茶座写个小稿，我竟扯到了卡尔维诺和文学遗产，这可不是茶座里的谈资。说实在的，我也不知道什么可以在茶座里闲扯的事。我既不养猫，也不养狗，更没有汽车。别人弄猫弄狗的时候，我或则在鼓捣电脑，或则想点文学上的事——假如你想听听电脑，我可以说，现在在中关村花二百五十块钱可以买到八兆内存条，便宜死了……我想这更不是茶座里的谈资。可能我也会养猫养狗，再买辆汽车，给自己找点罪受——顺便说一句，我觉得汽车的价格很无耻。一辆韩国低档车卖三几十万，全世界都没听说过。至于猫啊狗啊，我觉得是食物一类。我吃掉过一只猫，五只狗，是二十多年前吃的。从爱猫爱狗者的角度来看，我是个“啃你饱”（Cannibal= 食人族）。所以，我也只能谈谈卡尔维诺……

卡尔维诺的《看不见的城市》是这么个故事：马可·波罗站在蒙古大汗面前，讲述他东来旅途中所见到的城市，每一座城市都是种象征，而且全都清晰可见。看完那本书我做了一夜的梦，只见一座座城市就如奇形怪状的孔明灯浮在一片虚空之中。一般的文学读者会说，好了，城市我看到了，讲这座城里的故事吧——对卡尔维诺那个无所不能的头脑来说，讲个故事又有何难。但他一个故事都没讲，还在列举着新的城市，极尽确切之能事一直到全书结束也没列举完。我大体上明白卡尔维诺想要做的事，对一个作者来说，他想要拥有一切文学素质：完备的轻逸、迅速、易见、确切和繁复，再加上连贯。等这些都有了以后，写出来的书肯定好看，可以满足一切文学读者。很不幸的是，这好像不大容易，但必须一试——这是为了保证读者在未来的一千年里有书看。我想这题目也没人会感兴趣——但是没办法，我就知道这些。

与人交流

《未来世界》得奖感言

再次得到《联合报》中篇小说奖，感慨万千。首要的一条就是：短短两三年的时间里，自己就已告别了青年，步入中年。另外一条就是：文学是一种永恒的事业。对于这样一种事业来说，个人总是渺小的。因为这些原因，这奖真是太好了。我觉得，这奖不是奖给已经形成的文字，而是奖给对小说这门艺术的理解。奖项的价值不止在于奖座和奖金，更在于对作品的共鸣。从这个意义上说，这奖也真是太好了。

人在写作时，总是孤身一人。作品实际上是个人的独白，是一些发出的信。我觉得自己太缺少与人交流的机会——我相信，这是写严肃文学的人共同的体会。但是这个世界上除了有自己，还有别人；除了身边的人，还有整个人类。写作的意义，就在于与人交流。因为这个缘故，我一直在写。

《未来世界》这篇小说，写了一个虚拟的时空，其中却是一个真实的世界。我觉得它不属于科幻小说，而是含有很多黑色幽默的成分。至于黑色幽默，我认为无须刻意为之，看到什么，感觉到什么，把它写下来，就是黑色幽默。这件事当然非常地有意思。

《血统》序

艾晓明请我给她的新作写序——像这样的事求到我这无名之辈头上，我想她是找对了人。我比艾君稍大一些，“文化大革命”开始的时候是个中学生。我的出身当时也不大好，所以我对她说到的事也有点体验。我记得“文化大革命”刚开始时，到处都在唱那支歌——老子英雄儿好汉，老子反动儿浑蛋——与此同时，我的一些同学穿上了绿军装，腰里束上了大皮带，站在校门口，问每个想进来的人：“你什么出身？”假如回答不是红五类之一，他就从牙缝里冒出一句：“狗崽子！”他们还干了很多更加恶劣的事，但是我不喜欢揭别人的疮疤，而且那些事也离题了。

我说的这件事很快就过去了。我的这些同学后来和我一起去插队，共过患难以后，有些成了很好的朋友，但是我始终以为他们那时的行为很坏。“文化大革命”是件忽然发生的事，谁也没有预料到，谁也不可能事先考虑遇到这样的事我该怎么做人。我的这些同学也是忽然之间变成了人上人——平心而论，这是应该祝贺的，但这却不能成为欺压别人的理由。把“狗崽子”三个字从朝夕相处的同学嘴里逼出来，你又于心何忍。我这样说，并不等于假如当年我是红五类的话，就不会去干欺压别人的事。事实上一筐烂桃里挑不出几个好的来，我也不比别人好。当年我们十四五岁，这就是说，从出世到十四岁，我们没学到什么好。

我在北方一个村里插队时（当时我是二十二岁），看到村里有几个阴郁的年轻人，穿着比较干净，工作也比较勤奋，就想和他们结交。但是村里人劝我别这么做，因为他们是地主。农村的情况和城里不一样，出身是什么，成分也是什么，故而地主的儿子是地主，地主的孙子也是地主，子子孙孙不能改变。因为这个原因，地主的儿子总是找不到老婆。我们村里的男地主（他们的父亲和祖父曾经拥有土地）都在打光棍，而女地主都嫁给了贫下中农以求子女能改变成分。我在村里看到，地主家的自留地种得比较好，房子盖得也比较好。这是因为他们只能靠自己，不能指望上面救济。据说在“文化大革命”前，地主家的孩子学习成绩总是比贫下中农出色，因为他们除了升学离开农村外，别无出路。这一点说来不足为奇，因为在中世纪的欧洲，犹太人在商业方面也总是比较出色。但是在“文化大革命”里，升学又不凭学习成绩，所以黑五类就变得绝无希望。我所见到的地主就是这样的。假如我宣扬我的所见所闻，就有可能遇到遇罗克先生的遭遇——被枪毙掉，所以我没有宣扬它。现在中国农村已经没有地主富农这些成分了，一律改称社员。这样当然是好多了。

到了我考大学那一年（当时我已经二十六岁），有一天从教育部门口经过，看到有一些年轻人在请愿。当时虽然上大学不大看出身了，但还是有些出身坏到家的人，虽然本人成绩很好，也上不了大学。后来这些人经过斗争，终于进了大学。其中有一位还成了我的同班同学。这位同学的出身其实并不坏，父母都是共产党的老干部。他母亲在“文革”里不堪凌辱，自杀了。从党的立场来看，我的同学应当得到同情和优待，但是没有。人家说，他母亲为什么死还没有查清。等到查清了（这已是大学快毕业的事了），他得到一笔抚恤金，也就是几百块钱吧，据我所知，我的同学并不为此感激涕零。

以上所述，就是我对出身、血统这件事的零碎回忆。也许有助于说明“血统”是怎样的一回事。总起来说，我以为人生在世应当努力，应该善良，而血统这种说法对于培养这些优良品质毫无帮助。除此之外，血统这件事还特别地荒唐。但是现实，尤其是历史，与我怎样想毫无关系。因此就有了这样的事：在“文化大革命”里，艾君这样一个正在上小学的女孩子，她的命运和她的外祖父——一位国民革命的元勋（但是这一点在当时颇有争议），她的父亲——一位前国民党军队的炮兵军官，紧密地联系在一起了。这本书就在讲这些事——艾君当时是怎样一个人，她的外祖父，她的父母又是怎样的人。拿破仑曾说：世间各种书中，我独爱以血写成者。假如你是拿破仑这样的读者，就会喜欢这本书。

（《血统》，艾晓明著，1994年4月花城出版社出版。）

个人尊严

在国外时看到，人们对时事做出价值评判时，总是从两个独立的方面来进行：一个方面是国家或者社会的尊严，这像是时事的经线；另一个方面是个人的尊严，这像是时事的纬线。回到国内，一条纬线就像是没有，连尊严这个字眼也感到陌生了。

提到尊严这个概念，我首先想到英文词 dignity，然后才想到相应的中文词。在英文中，这个词不仅有尊严之义，还有体面、身份的意思。尊严不但指人受到尊重，它还是人价值之所在。从上古到现代，数以亿万计的中国人里，没有几个人有过属于个人的尊严。举个大点的例子，中国历史上有过皇上对大臣施廷杖的事，无论是多大的官，一言不合，就可能受到如此当众羞辱，高官尚且如此，遑论百姓。除了皇上一人，没有一个人能有尊严。有一件最怪的事是，按照传统道德，挨皇帝的板子倒是一种光荣，文死谏嘛。说白了就是：无尊严就是有尊严。此话如有任何古怪之处，罪不在我。到了现代以后，人与人的关系、个人与集体的关系，仍有这种遗风——我们就不必细说“文革”中、“文革”前都发生过什么样的事情。到了现在，已经不用见官下跪，也不会在屁股上挨板子，但还是缺少个人的尊严。环境就是这样，公共场所的秩序就是这样，人对人的态度就是这样，不容你有任何自尊。

举个小点的例子，每到春运高潮，大家就会在传媒上看到一辆硬座车厢里挤了三四百人，厕所里也挤了十几人。谈到这件事，大家会说国家的铁路需要建设，说到铁路工人的工作难做，提到安全问题，提到所有的方面，就是不提这些民工这样挤在一起，完全没有了个人的尊严——仿佛这件事很不重要似的。当然，只要民工都在过年时回家，火车总是要挤的，谁也想不出好办法。但个人的尊严毕竟大受损害；这件事总该有人提一提才对。另一件事现在已是老生常谈，人走在街上感到内急，就不得不上公共厕所。一进去就觉得自己的尊严一点都没了。现在北京的公厕正在改观，这是因为外国人到了中国也会内急，所以北京的公厕已经臭名远扬。假如外国人不来，厕所就要臭下去，而且大街上改了，小胡同里还没有改。我认识的一位美国留学生说，有一次他在小胡同里内急，走进公厕撒了一泡尿，出来以后，猛然想到自己刚才满眼都是黄白之物，居然能站住了不倒，觉得自己很了不起，就急忙来告诉我。北京的某些街道很脏很乱，总要到某个国际会议时才能改观，这叫借某某会的东风。不光老百姓这样讲，领导上也这样讲。这话听起来很有点不对味。不雅的景象外人看了丢脸，没有外人时，自己住在里面也不体面——这后一点总是被人忘掉。

作为一个知识分子，我发现自己曾有一种特别的虚伪之处，虽然一句话说不清，但可以举些例子来说明。假如我看到火车上特别挤，就感慨一声道：这种事居然可以发生在中华人民共和国的土地上！假如我看到厕所特脏，又长叹一声：唉！北京市这是怎么搞的嘛！这其中有点幽默的成分，也有点当真。我的确觉得国家和政府的尊严受到了损失，并为此焦虑着。当然，我自己也想要点个人尊严，但以个人名义提出就过于直露，不够体面——言必称天下，不以个人面目出现，是知识分子的尊严所在。当然，现在我把这作为虚伪提出，已经自外于知识分子。但也有种好处，我找到了自己的个人面目。有关尊严问题，不必引经据典，我个人就是这么看。但中国忽视个人尊严，却不是我的新发现。从大智者到通俗作家，有不少人注意到一个有中国特色的现象。罗素说，中国文化里只重家族内的私德，不重社会的公德公益，这一点造成了很要命的景象。费孝通说，中国社会里有所谓“差序格局”，与己关系近的就关心，关系远的就不关心或少关心。结果有些事从来就没人关心。龙应台为这类事而愤怒过，三毛也大发过一通感慨。读者可能注意到了，所有指出这个现象的人，或则是外国人，或则曾在国外生活过，又回到了国内。没有这层关系的中国人，对此浑然不觉。笔者自己曾在外国居住四年，假如没有这种经历，恐怕也发不出这种议论——但这一点并不让我感到开心。环境脏乱的问题，火车拥挤的问题，社会秩序的问题，人们倒是看到了，但总是从总体方面提出问题，讲国家的尊严、民族的尊严。其实这些事就发生在我们身边，削我们每个人的面子——对此能够浑然无觉，倒是咄咄怪事。

人有无尊严，有一个简单的判据，是看他被当作一个人还是一个东西来对待。这件事有点两重性，其一是别人把你当作人还是东西，是你尊严之所在。其二是你把自己看成人还是东西，也是你的尊严所在。挤火车和上公共厕所时，人只被当身体来看待。这里既有其一的成分，也有其二的成分，而且归根结底，和我们的文化传统有关。说来也奇怪，中华礼仪之邦，一切尊严，都从整体和人与人的关系上定义，就是没有个人的位置。一个人不在单位里、不在家里，不代表国家、民族，单独存在时，居然不算一个人，就算是一块肉。这种算法当然是有问题。我的算法是：一个人独处荒岛而且谁也不代表，就像鲁滨孙那样，也有尊严，可以很好地活着。这就是说，个人是尊严的基本单位。知道了这一点，火车上太挤了之后，我就不会再挤进去而且浑然无觉。

（本篇最初发表于1995年第五期《三联生活周刊》杂志）

君子的尊严

笔者是个学究，待人也算谦和有礼，自以为算个君子——当然，实际上是不是，还要别人来评判。总的来说，君子是有文化有道德的人，是士人或称知识分子。按照中国的传统，君子是做人的典范。君子不言利。君子忍让不争。君子动口不动手。君子独善其身。这都是老辈子传下来的规矩，时至今日，以君子自居的人还是如此行事。我是宁做君子不做小人的，但我还是以为，君子身上有些缺点，不配作为人的典范；因为他太文弱、太窝囊、太受人欺。

君子既不肯与人争利，就要安于清贫。但有时不是钱的问题，是尊严的问题。前些时候在电视上看到北京的一位人大代表发言，说儿童医院的挂号费是一毛钱，公厕的收费是两毛钱。很显然，这样的收费标准有损医务工作的尊严。当然，发言的结尾是呼吁有关领导注意这个问题，有关领导也点点头说：是呀是呀，这个问题要重视。我总觉得这位代表太君子，没把话讲清楚——直截了当的说法是：我们要收两块钱。别人要是觉得太贵，那你就还个价来——这样三下五除二就切入了正题。这样说话比较能解决问题。

君子不与人争，就要受气。举例来说，我乘地铁时排队购票，总有些不三不四的人到前面加塞。说实在的，我有很多话要说：我排队，你为什么不排队？你忙，难道我就没有事？但是碍于君子的规范，讲不出口来。话憋在肚子里，难免要生气。有时气不过，就嚷嚷几句：排队，排队啊。这种表达方式不够清晰，人家也不知是在说他。正确的方式是，指住加塞者的鼻子，口齿清楚地说道：先生，大家都在排队，请你也排队。但这样一来，就陷入与人争论的境地，肯定不是君子了。

常在报纸上看到这样的消息：流氓横行不法，围观者如堵，无人上前制止。我敢断定，围观的都是君子，也很想制止，但怎么制止呢？难道上前和他打架吗？须知君子动口不动手啊。我知道英国有句俗话：绅士动拳头，小人动刀子。假如在场的是英国绅士，就可以上前用拳头打流氓了。

既然扯到了绅士，就可以多说几句。从前有个英国人到澳大利亚去旅行，过海关时，当地官员问他是干什么的。他答道：我是一个绅士。因为历史的原因，澳大利亚人不喜欢听到这句话，尤其不喜欢听到这句话从一个英国人嘴里说出来。那官员又问：我问你的职业是什么？英国人答道：职业就是绅士。难道你们这里没有绅士吗？这下澳大利亚人可火了，差点揍他，幸亏有人拉开了。在英美，说某人不是绅士，就是句骂人话。当然，在我们这里说谁不是君子，等于说他是小人，也是句骂人话。但君子和绅士不是一个概念。从字面上看，绅士（gentleman）是指温文有礼之人，其实远不止此。绅士要保持个人的荣誉和尊严，甚至可以说是这方面的专业户。坦白地说，他们有点狂傲自大。但也有一种好处：真正的绅士绝不在危险面前止步。大战期间，英国绅士大批开赴前线为国捐躯，甚至死在了一般人前面。君子的标准里就不包括这一条。

中国的君子独善其身，这样就没有了尊严。这是因为尊严是属于个人的、不可压缩的空间，这块空间要靠自己来捍卫——捍卫的意思是指敢争、敢打官司、敢动手（勇斗歹徒）。我觉得人还是有点尊严的好，假如个人连个待的地方都没有，就无法为人做事，更不要说做别人的典范。

（本篇最初发表于1995年第五期《三联生活周刊》杂志）

我看老三届

我也是“老三届”，本来该念书的年龄，我却到云南挖坑去了。这件事对我有害尚在其次，还惹得父母为此而忧虑。有人说，知青的父母都要因儿女而减寿，我家的情况就是如此。做父母的总想庇护未成年的儿女，在特殊年代里，无力庇护，就代之以忧虑。身为人子，我为此感到内疚，尤其是先父去世后更是如此。当然，细想起来，罪不在我，但是感情总不能自已。

在上山下乡运动中，两千万知青境遇不同。有人感觉好些，有人感觉坏些。讨论整个老三届现象，就该把个人感情撇除在外，有颗平常心。老三届的人对此会缺少平常心，这是可以理解的。从历史的角度来看，这件事极不寻常。怎么就落在我们身上，这真叫活见鬼了。人生在什么国度，赶上什么样的年月，都不由自己来决定。所以这件事说到底，还是造化弄人。

上山下乡是件大坏事，对我们全体老三届来说，它还是一场飞来的横祸。当然，有个别人可能会从横祸中得益，举例来说，这种特殊的经历可能会有益于写作，但整个事件的性质却不可因此混淆。我们知道，有些盲人眼睛并没有坏，是脑子里的病，假如脑袋受到重击就可能复明。假设有这样一位盲人扶杖爬上楼梯，有个不良少年为了满足自己无聊的幽默感，把他一脚踢了下去，这位盲人因此复了明。但盲人滚下楼梯依然是件惨痛的事，尤其是踢盲人下楼者当然是个下流坯子，绝不能因为该盲人复明就被看成是好人。这是一种简单的逻辑，大意是说，坏事就是坏事，好事就是好事，让我们先言尽于此。至于坏事可不可以变成好事，已经是另一个问题了。

我有一位老师，有先天的残疾，生下来时手心朝下，脚心朝上，不管自己怎么努力，都不能改变手脚的姿态。后来他到美国，在手术台上被人大卸八块又装了起来，勉强可以行走，但又多了些后遗症。他向我坦白说，对自己的这个残疾，他一直没有平常心：我在娘胎里没做过坏事，怎么就这样被生了下来？后来大夫告诉他说，这种病有六百万分之一的发生几率，换言之，他中了个一比六百万的大彩。我老师就此恢复了平常心。他说：所谓造化弄人，不过如此而已，这个彩我认了。他老人家在学术上有极大的成就，客观地说，和残疾是有一点关系的，因为别人玩时他总在用功。但我没听他说过：谢天谢地，我得了这种病！总而言之，在这件事上他是真正地有了平常心。顺便说一句，他从没有坐着轮椅上台“讲用”。我觉得这样较好。对残疾人的最大尊重，就是不把他当残疾人。

坦白地说，身为老三届，我也有没有平常心的时候，那就是在云南挖坑时。当时我心里想：妈的！比我们大的可以上大学，我们就该修理地球？真是不公平！这是一类想法。这个想法后来演变成：比我们小的也直接上大学，就我们非得先挖坑后上学，真他妈的不公平。另一类想法是：我将来要当作家，吃些苦可能是大好事，陀思妥耶夫斯基还上过绞首台哪。这个想法后来演变成：现在的年轻人没吃苦，也当不了作家。这两种想法搅在一起，会使人彻底糊涂。现在我出了几本书，但我却以为，后一种想法是没有道理的。假定此说是有理的，想当作家的人就该时常把自己吊起来，想当历史学家的人就该学太史公去掉自己的男根，想当音乐家的人就该买个风镐来家把自己震聋——以便像贝多芬，想当画家的人就该割去自己的耳朵——混充梵高。什么都想当的人就得把什么都去掉，像个梆子，听起来就不是个道理。总的来说，任何老三届优越的理论都没有平常心。当然，我也反对任何老三届恶劣的说法。老三届正在壮年，耳朵和男根齐备，为什么就不如人。在身为老三届这件事上，我也有了平常心：不就是荒废了十年学业吗？这个彩老子也认了。现在不过四十来岁，还可以努力嘛。

现在来谈谈那种坏事可以变好事，好事也可以变坏事的说法。它来源于伟人，在伟人的头脑里是好的，但到了寻常人的头脑里就不起好作用，有时弄得人好赖不知，香臭不知。对我来说，好就是好，坏就是坏，这个逻辑很够用。人生在世，会遇到一些好事，还会遇上些坏事。好事我承受得起，坏事也承受得住。就这样坦荡荡做个寻常人也不坏。

本文是对《中国青年研究》第四期上彭泗清先生文章的回应。坦白地说，我对彭先生的文章不满，起先是因为他说了老三届的坏话。在我看来，老三届现象、老三届情结，是我们这茬人没有平常心造成的。人既然不是机器，偶尔失去平衡，应该是可以原谅的。但是仔细想来，“文革”过了快二十年了，人也不能总是没有平常心哪，老三届文人的一些自我吹嘘的言论，连我看着都肉麻。让我们先言尽于此，对于彭先生所举老三届心态的种种肉麻之处，我是同意的。

然后再说说我对彭先生的不满之处。彭先生对老三届的看法是否定的，对此我倒不想争辩，想争的是他讲出的那一番道理。他说老三届有种种特殊遭遇，所以他们是些特殊的人；这种特殊的人不怎么高明——这是一种特别糟糕的论调。反过来，说这种特殊的人特别好，也同样的糟。这个论域貌似属于科学，其实属于伦理；它还是一切法西斯和偏执狂的策源地。我老师生出来时脚心朝上，但假如说的不是身体而是心智，就不能说他特殊。老三届的遭遇是特别，但我看他们也是些寻常人。对黑人、少数民族、女人，都该作如是观。罗素先生曾说，真正的伦理原则把人人同等看待。我以为这个原则是说，当语及他人时，首先该把他当个寻常人，然后再论他的善恶是非。这不是尊重他，而是尊重“那人”，从最深的意义上说，更是尊重自己——所有的人毕竟属同一物种。人的成就、过失、美德和陋习，都不该用他的特殊来解释。You are special，这句话只适于对爱人讲。假如不是这么用，也很肉麻。

（本篇最初发表于1995年第六期《中国青年研究》杂志，发表时题目为“以平常心看老三届”。）

我是哪一种女权主义者

因为太太在做妇女研究，读了一批女权主义的理论书，我们常在一起讨论自己的立场。作为一个知识分子，我们不可避免地会有一种接近某种女权主义的立场。我总觉得，一个人不尊重女权，就不能叫作一个知识分子。但是女权主义的理论门类繁多（我认为这一点并不好），到底是哪一种就很重要了。

社会主义女权主义者认为，性别之间的不平等是社会制度造成的，要靠社会制度的变革来消除。这种观点在西方带点阶段论的色彩，在中国就不一样了。众所周知，我国现在已是社会主义制度，党主张男女平等，政府重视妇女的社会保障，在这方面成就也不少。但恰恰在这种情况下，我们感到了社会主义女权理论的不足。举个例子来说，现在企业精简职工，很多女职工被迫下岗。假若你要指责企业经理，他就反问道：你何不问问这些女职工自身的素质如何？像这样的题目报刊上讨论得已经很多了。很明显，一个人的生活不能单纯地依赖社会保障，还要靠自身的努力，而且一个人得到的社会保障越多，自身的努力往往就越少。正如其他女权主义门派指出的那样，社会主义女权主义向社会寻求保障的同时，也就承认了自己是弱者，这是一个不小的失策。在社会主义制度下，得到较多保障的人总是值得羡慕的——我年轻时，大家都羡慕国营企业的工人，因为他们最有保障。但保障和尊严是两回事。

与此有关的问题是：我们国家的男女是否平等了，在这方面有一点争议。中国人自己以为，在这方面做得已经很不错。但是西方一些观察家不同意。我认为这不是一个问题，而是两个问题。头一个问题是：在我们的社会里，是否把男人和女人同等看待。这个问题有难以评论的性质。众所周知，一有需要，上面就可以规定各级政府里女干部的比例，各级人代会里女代表的比例，我还听说为了配合九五年世妇会，出版社正在大出女作家的专辑。因为想把她们如何看待就可以如何看待，这件事就丧失了客观性，而且无法讨论。另一个问题是：在我们国家里，妇女的实际地位如何，她们自身的素质、成就、掌握的决策权，能不能和男性相比。这个问题很严肃，我的意见是：当然不能比。妇女差得很多——也许只有竞技体育例外，但竞技体育不说明什么。我们国家总是从社会主义女权理论的框架出发去关怀女性，分配给她各种东西，包括代表名额。我以为这种关怀是不够的。真正的成就是自己争取来的，而不是分配来的东西。

西方还有一种激进的女权主义立场，认为女性比男性优越，女人天性热爱和平、关心生态，就是她们优越的证明。据说女人可以有比男人更强烈、持久的性高潮，也是一种优越的证明，我很怀疑这种证明的严肃性。虽然女人热爱自己的性别是值得赞美的，但也不可走火入魔。一个人在坐胎时就有男女之分，我以为这种差异本身是美好的。别人也许不同意，但我以为，见到一种差异，就以为这里有优劣之分，这是一种市侩心理——生为一个女人，好像占了很多便宜。当然，要按这个标准，中国人里市侩更多，他们死乞白赖地想要男孩，并且觉得这样能占到便宜。将来人类很可能只剩下一种性别——男或女。这时候的人知道过去人有性别之分，就会不胜痛惜，并且说：我们的祖先是些市侩。当然，在我们这里，有些女人有激进女权主义者的风貌，中国话叫作“气管炎”。我个人认为，“气管炎”不是中国女性风范的杰出代表。我总是从审美的角度，而不是从势利的角度来看世界，而且觉得自己是个市侩——当然，这一点还要别人来评判。

西方女权主义者认为，性之于女权主义理论，正如劳动之于马克思的理论一样重要。这个观点中国人看来很是意外。再过一些年，中国人就会体会到这种说法的含义，现在的潮流正把女人逐渐地往性这个圈子里套。性对于人来说，是很重要的。但是单方面地要求妇女，就很不平等。西方妇女以为自己在这个圈子里丧失了尊严，这是有道理的。但回过头去看看“文化大革命”里，中国的妇女和男人除了头发长几寸，就没有了区别，尊严倒是有的，只可惜了无生趣。自由女权主义者认为，男人也该来取悦妇女，这样就恢复了妇女的尊严。假如你不同意这个观点，就要在毫无尊严和了无生趣里选一种了。作为男子，我宁愿自己多打扮，希望这样有助于妇女的尊严，也不愿看到妇女再变成一片蓝蚂蚁。当然，按激进女权的观点，这还远算不上有了弃暗投明的决心，真正有决心应该去做变性手术，起码把自己阉掉。

我太太现在对后现代女权主义理论着了迷。这种理论总想对性别问题提供一种全新的解读方式。我很同意地说，以往的人对性别问题理解得不对——亘古以来，人类在性和性别问题上就没有平常心，开头有点假模假式，后来就有点五迷三道，最后干脆是不三不四，或者是蛮横无理——这些错误主要是男人犯的——这是我对这个问题的看法，但和后现代女权理论没有丝毫的相近之处。那些哲学家、福柯的女弟子们，她们对此有着一套远为复杂和深奥的解读方法。我正盼着从中学到一点东西，但还没有学会。

作为一个男人，我同意自由女权主义，并且觉得这就够了。从这种认同里，我能获得一点平常心，并向其他男人推荐这种想法。我承认男人和女人很不同，但这种差异并不意味着别的：既不意味着某个性别的人比另一种性别的人优越，也不意味着某种性别的人比另一种性别的人高明。一个女孩子来到人世间，应该像男孩一样，有权利寻求她所要的一切。假如她所得到的正是她所要的，那就是最好的——假如我是她的父亲，我也别无所求了。

（本篇最初发表于1995年第十二期《健康世界》杂志）

写给新的一年（一九九六年）

我们读书、写作——一九九五年就这样过去了。这样提到过去的一年，带点感慨的语调，感叹生活的平淡。过去我们的生活可不是这样平淡。在我们年轻时，每一年的经历都能写成一本书，后来只能写成小册子，再后来变成了薄薄的几页纸。现在就是这样一句话：读书、写作。一方面是因为我们远离了动荡的年代，另一方面，我们也喜欢平淡的生活。对我们来说，这样的生活就够了。

九十年代之初，我们的老师——一位历史学家——这样展望二十一世纪：理想主义的光辉已经暗淡，人类不再抱着崇高的理想，想要摘下天上的星星，而是把注意力放到了现实问题上去，当一切都趋于平淡，人类进入了哀乐中年。我们都不是历史学家，不会用这样宏观的态度来描述世界，但这些话也触动了我们的内心。过去，我们也想到过要摘下天上的星星，而现在我们的生活也趋于平淡。这是不是说，我们也进入了哀乐中年？假设如此，倒是件值得伤心的事。一位法国政治家说过这样一句话：一个人在二十岁时如果不是激进派，那他一辈子都不会有出息；假如他到了三十岁还是个激进派，那他也不会有什么大出息。我们这样理解他的话：一味地勇猛精进，不见得就有造就；相反，在平淡中冷静思索，倒更能解决问题。

很多年轻人会说：平淡的生活哪里有幸福可言。对此，我们倒有不同的意见。罗素先生曾说：真正的幸福来自于建设性的工作。人能从毁灭里得到一些快乐，但这种快乐不能和建设带来的快乐相比。只有建设的快乐才能无穷无尽，毁灭则有它的极限。夸大狂和自恋都不能带来幸福，与此相反，它正是不幸的源泉。我们希望能远离偏执，从建设性和创造性的工作中获取幸福。创造性工作的快乐只有少数人才能获得，而我们恰恰有幸得到了可望获得这种快乐的机会——那就是做一个知识分子。

转眼之间，我们从国外回来已经快八年了。对于当初回国的决定，我们从没有后悔过。这丝毫不说明我们比别人爱国。生活在国内的人，对祖国的感情反倒不像海外学人表现得那么强烈。假如举行爱国主义征文比赛，国内的人倒不一定能够获奖。人生在世，就如一本打开的书，我们更希望这本书的主题始终如一，不希望它在中途改变题目——到外文化中生活，人生的主题就会改变。与此同时，我们也希望生活更加真切，哪怕是变得平淡也罢，这就是我们回国的原因。这是我们的选择，不见得对别人也适用。

假如别人来写这篇文章，可能是从当前的大好形势谈起，我们却在谈内心的感受。你若以为这种谈法层次很低，那也不见得。假如现在形势不大好，我们也不会改变对这个国家的感情。既然如此，就不急着提起。顺便说说，现在国家的形势当然是好的。但从我们的角度看来，假如在社会生活里再多一些理性的态度，再多一些公正和宽容，那就更好了。

随着新年钟声响起，我们都又长了一岁。这正是回顾和总结的时机。对于过去的一年，还有我们在世上生活的这些年，总要有句结束语：虽然人生在世会有种种不如意，但你仍可以在幸福与不幸中作选择。

有关“伟大一族”

有位老同学从美国回来探家。我们俩有七八年没见了。他的情况还不错：虽然薪水不很多，但两口子都挣钱，所以还算宽裕。自从美国一别，他的房子买到了第三所，汽车换到了第四辆，至于PC机，只要听说新出来一种更快的，他马上就去买一台，手上过了多少就没了数了。老婆还没有换，也没有这种打算，这正是我喜欢他的地方。虽然没坐过罗尔斯·罗伊斯，没住过棕榈海滩的豪华别墅，手里没有巨额股票，倒有一屁股的饥荒，但就像东北人说的，他起码也“造”了个痛快。我现在房无一间地无一垄，当然只有羡慕的份儿。但我们见面不是光聊这些——这就太过庸俗了。

我们哥俩都闯荡过四方，种过地，放过牧，当过工人，二十年前在大学里同窗时，心里都曾燃烧起雄心壮志，要开创伟大的事业。所谓伟大的事业，就是要让自己的梦想成真。那时想了些什么，现在我都不好意思说，只好拿别人做例子。

比方说微软公司的大老板比尔·盖茨，年轻时想过要把当时看着不起眼的微处理机做成一种能用的计算机，让人人都能拥有和使用计算机，这样，科学的时代就真正降临人世了——这种梦想的伟大之处就在这里。现在这种梦想在很大程度上变成了真实，他在其中有很大的贡献，这是值得佩服的。至于他在商业上的成功，照我看还不太值得佩服。还有一个例子是马丁·路德·金曾经高呼“我有一个梦想”，今天在美国的校园里，有时能看到高大英俊的黑人小伙子和白人姑娘拥抱在一起。从这种特别美丽的景象里，可以体会到金博士梦想的伟大。时至今日，我说多了没有意思，脸上也发热。我只能说，像这样的梦想我们也曾有过。

每个人都有自己的梦想，这些梦想不见得都是伟大事业的起点。鲁迅先生的杂文里提到有这样的人，他梦想的最高境界是在雪天，呕上半口血，由丫鬟扶着，懒懒地到院子里去看梅花。我看了以后着实生气：人怎么能想这样的事！同时我还想：假如这位先生不那么考究，不要下雪、梅花、丫鬟搀着等，光要呕血的话，这件事我倒能帮上忙。那时我是个小伙子，胳臂很有劲儿，拳头也够硬。现在当然不想帮这种忙，过了那个年龄。现在偶尔照照镜子，里面那个人满脸皱纹，我不大认识。走在街上，迎面过来一个庞然大物，仔细从眉眼上辨认，居然是自己当年的梦中情人，于是不免倒吸一口凉气。凉气吸多了就会忘事，所以要赶紧把要说的事说清楚。梦想虽不见得都是伟大事业的起点，但每种伟大的事业必定源于一种梦想——我对这件事很有把握。

现在的青年里有“追星族”“上班族”，但想要开创伟大事业的人却没有名目，就叫他们“伟大一族”好了。过去这样的人在校园里（不管是中国校园还是美国校园）是很多的。当盖茨先生穿着一身便装，蓬着一头乱发出现在校园里时，和我们当年一样，属于“伟大一族”。刚回中国时，我带过的那些学生起码有一半属“伟大一族”，因为他们眼睛里闪烁着梦想的光芒。谁是、谁不是这一族，我一眼就能看出来，但这一族的人数是越来越少了，将来也许会像恐龙一样灭绝掉。我问我哥们儿，现在干吗呢，他说坐在那里给人家操作软件包，气得我吼了起来：咱们这样的人应该做研究工作——谁给他打软件包？但是他说，人家给钱就得了，管它干什么。我一想也对。谁要是给我一年三四万美元让我“打”软件包，我也给他“打”去了。这说明现在连我也不属“伟大一族”。但在年轻时，我们有过很宏伟的梦想。“伟大一族”不是空想家，不是只会从众起哄的狂热分子，更不是连事情还没弄清就热血沸腾的青年。他们相信，任何美好的梦想都有可能成真——换言之，不能成真的梦想本身就是不美好的。假如事情没做成，那是做得不得法；假如做成了，却不美好，倒像是一场噩梦，那是因为从开始就想得不对头。

不管结局是怎样，这条路总是存在的——必须准备梦想，准备为梦想工作。这种想法对不对，现在我也没有把握。我有把握的只是：确实有这样的一族。

（本篇最初发表于 1996 年 2 月 21 日《南方周末》）

居住环境与尊严

我住在一座高层建筑里。从一楼到十七楼，人人都封阳台，所用的材料和样式各异，看起来相当丑陋。公用的楼道上，玻璃碎了一半，破了的地方用三合板或纤维板堵住；楼梯上很脏，垃圾道的口上更脏。如果它是一座待拆的楼房，那倒也罢了，实际上它是新的，建筑质量也很好，是人把它住成了这样。至于我家里，和别人家里一样，都很干净，只是门外面脏。假如有朋友要见我，就要区别对待：假如他是中国人，就请他到家里来；要是外国人，就约在外面见面。这是因为我觉得让外国人到我家来，我的尊严要受损失。

假设有个外国人来看我，他必须从单元门进来，爬上六层，才能到达我家的门口。单元门旁边就是垃圾道的出口，那里总有大堆的垃圾流在外面，有鱼头鸭头鸡肠子在内，很招苍蝇，看起来相当吓人。此人看过了这种景色之后，爬上一至六层的楼梯，呼吸着富含尘土的空气，看到满地的葱皮、鸡蛋壳，还有墙上淋漓的污渍。我希望他有鼻炎，闻不见味儿。我没有鼻炎，每回爬楼梯时我都闭着气。上大学时，我肺活量有五千毫升，现在大概有八千。当然，这是在白天。要是黑夜他根本就上不来，因为楼道里没灯，他会撞进自行车堆里，摔断他的腿。夜里我上楼时，手里总拿个棍儿，探着往上爬。他还不知扶手不能摸，摸了就是一手灰。才搬来时我摸过一把，那手印子现在还印在那里，只是没有当初新鲜。就这样到了我的门外，此时他对我肯定有了一种不好的看法。坦白地说，我在美国留学时，见到哪个美国同学住在这样的房子里，肯定也会看不起他。

要是个中国人来看我，看到的景象也是一样。大家都是人，谁也不喜欢肮脏，所以对这种环境的反感也是一样的。但他进了我家的门，就会把路上看到的一切都忘掉。他对我这么好，除了同胞情谊之外，还因为他知道楼道里这么脏不能怪我；所以我敢把他请到家里来。

因为本文想要谈尊严问题，就此切入正题。所谓尊严（dignity），是指某人受到尊敬，同时也是个人的价值所在。笔者曾在国外居住四年，知道洋鬼子怎样想问题：一个人住在某处，对周围的一切既有权利，也有义务。假如邻居把门前和阳台弄得不像话，你可以径直打电话说他，他要是个体面人就不会不理。反过来，假如你把门前弄得不像话，他也会径直打电话来说你，你也不能不理。因此，一个地方住了一些体面人，就不会又脏又乱。居住的环境就这样和个人尊严联系在一起。假如我像那些洋人想象的那样，既有权利，又有义务，本人还是个知识分子，还把楼房住成了这样，那我又算个什么人呢。这就是我不敢让洋人上家里来的原因。

但你若是中国人，就会知道：我有权利把自己的阳台弄成任何一种模样，别人不会来管，别人把家门外弄成任何一种样子，我也没有办法。当然，我觉得楼道太脏，也可以到居委会反映一下，但说了也没有用。顺便说说，我们交了卫生费，但楼梯总没有人扫。我扫过楼道，从六楼扫到了一楼，只是第二天早上出来一看，又被弄得很脏；看来一天要扫三遍才行。所以我也不扫了。我现在下定了一种决心：一过了退休年龄，就什么都不干，天天打扫楼道；现在则不成，没有工夫。总而言之，对这件事我现在是没有办法了。把话说白了，就是这样的：在我家里，我是个人物；出了家门，既没有权利，又没有义务，根本就不是什么人物，说话没有人理，干事情没人响应，而且我自己也不想这样。这不是在说外国人的好话，也不是给自己推卸责任，而是在说自己为什么要搞两面派。

中国这地方有一种特别之处，那就是人只在家里（现在还要加上在单位里）负责任，出了门就没有了责任感（罗素和费孝通对此都有过论述，谁有兴趣可以去查阅）。大家所到之处，既无权利，也无义务；所有的公利公德，全靠政府去管，但政府不可能处处管到，所以到处乱糟糟。一个人在单位是老张或老李，回了家是爸爸或妈妈，在这两处都要顾及体面和自己的价值，这是很好的。但在家门外和单位门外就什么都不是，被称作“那男的”或是“那女的”，一点尊严也没有，这就很糟糕。我总觉得，大多数人在受到重视之后，行为就会好。

（本篇最初发表于1996年第二期《辽宁青年》杂志）

饮食卫生与尊严

每天早上，北京街头就会出现一些早点摊。有一天我起早了，走着走着感到有点饿，想到摊上吃一点。吃之前先绕到摊后看了一眼，看到一桶洗碗水，里面还泡着碗。坦白地说，与一桶泔水相似。我当时就下定决心，再不到小摊上吃饭。当然，我理解那些吃这种早点的人，因为我也当过工人。下了夜班，胃里难受，嘴里还有点血腥味，不吃点热东西实在没法睡；这么早又找不到别的地方吃饭，只好到摊上去吃。我不理解的是那些卖早点的人。既然人家到你这里吃东西，你为什么不弄干净一点？

我认识一个人，是从安徽出来打工的。学了点手艺，在个体餐馆里当厨师。后来得了肝炎，老板怕他传染顾客，把他辞掉了，他就自制熟肉到街上去卖。我觉得这很不好，有传染病的人不能卖熟食。你要问他为什么这么干，他就说：要赚钱。大家想想看，人怎么能这样待人呢。只有无赖才这样看问题。我实在为他们害羞，觉得他们抛弃了人的尊严。当然，这里说到的不是那些饮食者的个人尊严，而是卖饮食者的尊严；准确地说，是指从外地到北京练摊的人——其中有好的，但也有些人实在不讲卫生。要是在他本乡本土，他绝不会这么干。这就是说，他们做人方面有了问题。至于这个问题，我认为是这样的：你穿着衣服在街上一走，别人都把你当人来看待。所以，在你做东西给别人吃时，该把别人当人来看待。有一种动物多脏的东西都吃，但那是猪啊。你我是同类，难道大家都是猪？我一直这么看待这个问题，最近发生了一点变化，是因为遇上这么一回事：

有一天，我出门去帮朋友搬家。出去时穿得比较破，因为要做粗活；回来时头上有些土，衣服上有点污渍，抬了一天冰箱，累得手脚有点笨；至于脸色，天生就黑。总而言之，像个“外地来京人员”——顺便说一句，现在“人员”这个字眼就带有贬义，计有无业人员、社会闲散人员、卖淫嫖娼人员等说法——就这个样子乘车回来，从售票员到乘客，对我都不大客气，看我的眼神都不对。我因此有点憋气，走到离家不远，一不小心碰到了一个人。还没等把道歉的话说出口，对方已经吼道：没带眼睛吗？底下还有些话，实在不雅，不便在此陈述。我连话都不敢说，赶紧溜走了。假如我说，我因此憋了一口气，第二天就蹬辆三轮车，带一个蜂窝煤炉子、一桶脏水到街上练早点，那是我在编故事。但我确实感到了，假如别人都不尊重我，我也没法尊重别人。假如所有的人都一直斜眼看我，粗声粗气地说我，那我的确什么事都干得出来。不过，回到家里，洗个热水澡，换上干净衣服，我心情又好了。有个住的地方，就有这点好处。

我住的地方在城乡结合部，由这里向西，不过二里路，就是一个优雅的公园，是散步的好地方。但要到那里去，要穿过一段小街陋巷，低矮的平房。有的房子门上写着“此房出租”，有的里面住着外地来打工的人，住得很挤。我穿过小巷到公园里去散步，去了一回，就再也不去了。那条路上没有下水道，尽是明沟，到处流着污水。我全身上下最好使的器官是鼻子，而且从来不得鼻炎，所以在这一路上嗅到六七处地方有强烈的尿臊气。这些地方不是厕所，只是些犄角旮旯。而这一路上还真没有什么厕所。走着走着遇上一片垃圾场，有半亩地大，看起来触目惊心。到了这里，我就痛恨自己的鼻子，恨它为什么这么好使。举例来说，它能分出鸡肠子和鸭肠子，前者只是腥臭，后者有点油腻腻的，更加难闻。至于鱼肠子，在两里路外我就能闻到，因为我讨厌鱼腥味。就这样到了公园里，我已无心散步，只觉得头晕脑涨，脑子里转着上百种臭味；假如不把它们一一分辨清楚，心里就难受。从那片平房往东看，就是我住的楼房。我已经说过，那楼的楼道不大干净，但已比这片平房强了数百倍。说起来，外地人到京打工，算是我们的客人。让客人住这种地方，真是件不体面的事。成年累月住在这种地方，出门就看到烂鸡肠子，他会有什么样的心境，我倒有点不敢想了。

我以为，假如一个人在生活条件和人际关系上都能感到做人的尊严，他就按一个有尊严的人的标准来行事，像个君子。假如相反，他难免按无尊严人的方式行事，做出些小人的行径。虽然君子应该避恶趋善，不把自己置于没有尊严的地位，但这一条有时我也做不到，也就不好说别人了。前些时候看电视，看到几个“外地来京人员”拿自来水和脏东西兑假酱油，为之发指。觉得不但国家该法办这些人，我也该去啐他们一口。但想想人家住在什么地方，受到什么样的对待，又有点理不直气不壮。在这方面，我应该做点事，才好去吐唾沫。后面这几句话已是题外之语。我的意思当然是说，“外地来京人员”假如做餐饮，应该像君子。一样行事，让大家吃着放心。这样说话才像个不是“人员”的北京人。

我有些朋友，帮一个扶贫组织工作，在议这样一件事：租借一些空闲的厂房，给“外地来京人员”一个住的地方。我也常去参加议论，连细节都议出来了：那地方不在于有多考究，而在于卫生、有人管理、让大家住着放心。房间虽是大宿舍，但有人打扫；个人的物品有处寄放；厕所要卫生，还要有洗淋浴的地方；各人的床用白布帘子隔起来——我在国外旅行，住过“基督教青年会”一类的地方，就是这个样子的寄宿舍，住在里面不觉得屈尊。对于出门在外的年轻人来说，住这种地方就可以说有了个人尊严，而且达到了国际标准。因为国际标准不光是奢华靡费，还有简朴、清洁、有秩序的一面，我对此颇有心得，因为我在国外是个穷学生，过简朴的生活，但也不觉得低人一等。这在中国也可以办到嘛……还有朋友说，这个标准太低。还该有各种训练班，教授求职所需的技能；还要组织些文娱活动。当然，这就更好了。可以想见，“外地来京人员”到了这里，体会到清洁、有序和人对人的关怀，对我们肯定会好一些。这件事从去年六月议起，还在务虚，没有什么务实的迹象。朋友里还有人说，这个寄宿舍应该赢利。我们这些人也不能白说这些事，也该有点好处。我听了觉得不大对劲，就不再参加议论。本文的主旨是说，做餐饮的人要像君子一样行事，把这件事也扯了出来，我恐怕自己是说漏了嘴。

（本篇最初发表于1996年第三期《辽宁青年》杂志，发表时题目为“像君子一样行事”。）

有关“给点气氛”

我相信，总有些人会渴望有趣的事情，讨厌呆板无趣的生活。假如我有什么特殊之处，那就是：这是我对生活主要的要求。大约十五年前，读过一篇匈牙利小说，叫作《会说话的猪》，讲到有一群国营农场的种猪聚在一起发牢骚——这些动物的主要工作是传种。在科技发达的现代，它们总是对着一个被叫作“母猪架子”的人造母猪传种。该架子新的时候大概还有几分像母猪，用了十几年，早就被磨得光秃秃的了——那些种猪天天挺着大肚子往母猪架子上跳，感觉有如一坨冻肉被摔上了案板，难免口出怨言，它们的牢骚是：哪怕在架子背上粘几撮毛，给我们点气氛也好！这故事的结局是相当有教育意义的：那些发牢骚的种猪都被劁掉了。但我总是从反面理解问题：如果连猪都会要求一点气氛，那么对于我来说，一些有趣的事情干脆是必不可少。

活在某些时代，持有我这种见解会给自己带来麻烦，我就经历过这样的年代——书书没得看，电影电影没得看。整个生活就像个磨得光秃秃的母猪架子，好在我还发现了一件有趣的事情，那就是发牢骚——发牢骚就是架子上残存的一撮毛。大家聚在一起，你一句，我一句，人人妙语连珠，就这样把麻烦惹上身了。好在我还没有被劁掉，只是给自己招来了很多批评帮助。这时候我发现，人和人其实是很隔膜的。有些人喜欢有趣，有些人喜欢无趣，这种区别看来是天生的。

作为一个喜欢有趣的人，我当然不会放弃阅读这种获得有趣的机会。结果就发现，作家里有些人拥护有趣，还有些人是反对有趣的。马克·吐温是和我一头的，或者还有萧伯纳——但我没什么把握。我最有把握的是哲学家罗素先生，他肯定是个赞成有趣的人。摩尔爵士设想了一个乌托邦，企图给人们营造一种最美好的生活方式，为此他对人应该怎样生活作了极详尽的规定，包括新娘新郎该干点什么——看过《乌托邦》的人一定记得，这个规定是：在结婚之前，应该脱光了身子让对方看一看，以防身上暗藏了什么毛病。这个用意不能说不好，但规定得如此之细就十足让人倒胃，在某些季节里，还可能导致感冒。罗素先生一眼就看出乌托邦是个母猪架子，乍看起来美轮美奂，使上一段，磨得光秃秃，你才会知道它有多糟糕——他没有在任何乌托邦里生活过，就有如此见识，这种先知先觉让人佩服得五体投地——他老人家还说，须知参差多态，乃是幸福的本源。反过来说，呆板无趣就是不幸福——正是这句话使我对他有了把握。一般来说，主张扼杀有趣的人总是这么说的：为了营造至善，我们必须做出这种牺牲。但却忘记了让人们活着得到乐趣，这本身就是善。因为这点小小的疏忽，至善就变成了至恶……

这篇文章是从猪要求给点气氛说起的。不同意我看法的人必然会说，人和猪是有区别的。我也认为人猪有别，这体现在人比猪要求得更多，而不是更少。除此之外，喜欢有趣的人不该像那群种猪一样，只会发一通牢骚，然后就被劁掉。这些人应该有些勇气，做一番斗争，来维护自己的爱好。这个道理我直到最近才领悟到。

我常听人说：这世界上哪有那么多有趣的事情。人对现实世界有这种评价、这种感慨，恐怕不能说是错误的。问题就在于应该做点什么。这句感慨是个四通八达的路口，所有的人都到达过这个地方，然后在此分手。有些人去开创有趣的事业，有些人去开创无趣的事业。前者以为，既然有趣的事不多，我们才要做有趣的事。后者经过这一番感慨，就自以为知道了天命，此后板起脸来对别人进行说教。我以为自己是前一种人，我写作的起因就是：既然这世界上有趣的书是有限的，我何不去试着写几本——至于我写成了还是没写成，这是另一个问题，我很愿意就这后一个问题进行讨论，但很不愿有人就头一个问题来和我商榷。前不久有读者给我打电话，说：你应该写杂文，别写小说了。我很认真地倾听着。他又说：你的小说不够正经——这话我就不爱听了。谁说小说非得是正经的呢？不管怎么说吧，我总把读者当作友人，朋友之间是无话不说的：我必须声明，在我的杂文里也没什么正经。我所说的一切，无非是提醒后到达这个路口的人，那里绝不是只有一条路，而是四通八达的。你可以做出选择。

（本篇最初发表于1996年第十期《三联生活周刊》杂志）

奸近杀

《廊桥遗梦》上演之前，有几位编辑朋友要我去看，看完给他们写点小文章。现在电影都演过去了，我还没去看。这倒不是故作清高，主要是因为围绕着《廊桥遗梦》有种争论，使我觉得很烦，结果连片子都懒得看了。有些人说，这部小说在宣扬婚外恋，应该批判。还有人说，这部小说恰恰是否定婚外恋的，所以不该批判。于是，《廊桥遗梦》就和“婚外恋”焊在一起了。我要是看了这部电影，也要对婚外恋作一评判，这是我所讨厌的事情。对于《廊桥遗梦》，我有如下基本判断：第一，这是编出来的故事，不是真的；第二，就算是真的，也是美国人的事，和我们没有关系。有些同志会说，不管和我们有没有关系，反正这电影我们看了，就要有个道德评判。这就叫我想起了近二十年前的事，当时巴黎歌剧院来北京演《茶花女》，有些观众说：这个茶花女是个妓女啊！男主角也不是什么好东西，玛格丽特和阿芒，两个凑起来，正好是一对卖淫嫖娼人员！要是小仲马在世，听了这种评价，一定要气疯。法国的歌唱家知道了这种评论，也会说：我们到这里演出，真是干了件傻事。演一场歌剧是很累的，唱来唱去，底下看见了什么？卖淫嫖娼人员！从那时到现在，已经过了十几年。我总觉得中国的观众应该有点长进——谁知还是没有长进。

小时候，我有一位小伙伴，见了大公鸡踩蛋，就捡起石头狂追不已，我问他干什么，他说要制止鸡耍流氓。当然，鸡不结婚，搞的全是婚外恋，而且在光天化日之下做事，有伤风化；但鸡毕竟是鸡，它们的行为不足以损害我们——我就是这样劝我的小伙伴。他有另一套说法：虽然它们是鸡，但毕竟是在耍流氓。这位朋友长着鸟形的脸，鼻涕经常流过河，有点缺心眼——当然，不能因为人家缺心眼，就说他讲的话一定不对。不知为什么，傻人道德上的敏感度总是很高，也许这纯属巧合。我们要讨论的问题是：在聪明人的范围之内，道德上的敏感度是高些好，还是低些好。

在道德方面，全然没有灵敏度肯定是不行的，这我也承认。但高到我这位朋友的程度也不行：这会闹到鸡犬不宁。他看到男女接吻就要扔石头，而且扔不准，不知道会打到谁，因此在电影院里成为一种公害。他把石头往银幕上扔，对看电影的人很有点威胁。人家知道他有这种毛病，放电影时不让他进；但是石头还会从墙外飞来。你冲出去抓住他，他就发出一阵傻笑。这个例子说明，太古板的人没法欣赏文艺作品，他能干的事只是扰乱别人……

我既不赞成婚外恋，也不赞成卖淫嫖娼，但对这种事情的关切程度总该有个限度，不要闹得和七十年代初抓阶级斗争那样的疯狂。我们国家五千年的文明史，有一条主线，那就是反婚外恋、反通奸，还反对一切男女关系，不管它正当不正当。这是很好的文化传统，但有时也搞得过于疯狂，宋明理学就是例子。理学盛行时，科学不研究，艺术不发展，一门心思都在端正男女关系上，自然没什么好结果。中国传统的士人，除了有点文化之外，品行和偏僻小山村里二十岁守寡的尖刻老太婆也差不多。我从清朝笔记小说中看到一则纪事，比《廊桥遗梦》短，但也颇有意思。这故事是说，有一位才子，在自己的后花园里散步，走到篱笆边，看到一对蚂蚱在交尾。要是我碰上这种事，连看都不看，因为我小时候见得太多了。但才子很少走出书房，就停下来饶有兴致地观看。忽然从草丛里跳出一个花里胡哨的癞蛤蟆，一口把两个蚂蚱都吃了，才子大惊失色，如梦方醒……这故事到这里就完了。有意思的是作者就此事发了一通感慨，大家可以猜猜他感慨了些什么……

坦白地说，我看书看到这里，掩卷沉思，想要猜出作者要感慨些啥。我在这方面比较鲁钝，什么都没猜出来。但是从《廊桥遗梦》里看到了婚外恋的同志、觉得它应该批判的同志比我要能，多半会猜到：蚂蚱在搞婚外恋，死了活该。这就和谜底相当接近了。作者的感慨是："奸近杀"啊。由此可以重新解释这个故事：这两只蚂蚱在篱笆底下偷情，是两个堕落分子。而那只黄里透绿、肥硕无比的癞蛤蟆，却是个道德上的义士，看到这桩奸情，就跳过来给它们一点惩戒——把它们吃了。寓意是好的，但有点太过离奇：癞蛤蟆吃蚂蚱都扯到男女关系上去，未免有点牵强。我总怀疑那只癞蛤蟆真有这么高尚。它顶多会想：今天真得蜜，一嘴就吃到了两个蚂蚱！至于看到人家交尾就义愤填膺，扑过去给以惩戒——它不会这么没气量。这是因为，蚂蚱不交尾，就没有小蚂蚱；没有小蚂蚱，癞蛤蟆就会饿死。

（本篇最初发表于1996年第十六期《三联生活周刊》杂志）

苏东坡与东坡肉

我父亲是教逻辑的教授，我哥哥是修逻辑的 Ph. D.，我自己对逻辑学也有兴趣，这种兴趣是从对逻辑学家的兴趣发展来的：本世纪初年，罗素发现了以自己名字命名的悖论，连忙写信告诉弗雷泽，顺便通知弗雷泽，他经营了半生的体系，因为这个悖论的发现有了重大的漏洞。弗雷泽考虑了一番，回信说：我要是知道什么是正确的结论就好了……我觉得这个弗雷泽简直逗死了，他要是有女儿，我一定要娶了做老婆，让他做我的老岳丈。话又说回来，就算弗雷泽有女儿，做我的姥姥一定比做老婆合适得多。这样弗雷泽就不是我的老岳丈，而是我的曾外公啦。我在美国上学时还遇见过一件类似的事：有一回在课堂上，有个胖乎乎的女同学在打瞌睡，忽然被老师叫起来提问。可怜她根本没听，怎么能答得上来。在美国，不但老师可以问学生，学生也可以问老师。万一老师被问住，就说一句：问得好！不回答问题，接着讲课。这位女同学迷迷糊糊，拖着长声说道：This is a good question（问得好）……差点把大家的肚皮笑破。下课后，我打量了她好半天，发现她太胖，又有狐臭，这才打消了不轨之心——弗雷泽就有这么逗。让我们书归正传，另一个有趣的逻辑学家是维特根斯坦，罗素请他去英国，研究一下出书的问题。维特根斯坦没有路费，又不肯朝罗素借。最后罗素买下了维特根斯坦留在剑桥的一些旧家具——我觉得他们俩都很逗。受这种浅薄的幽默感驱使，我学过数理逻辑，开头还有兴趣，后来学到了犯难的东西，就学不进去了。

我对数学也有过兴趣，这种兴趣是从对方程的兴趣发展来的。人们老早就知道二次方程有公式解，但二次以上的方程呢？在十九世纪以前，人们是不知道的。在十七世纪，有个意大利数学家，又是一位教授，他对三次方程的解法有点心得。有天下午，外面下着雨，在教室里，他准备对学生讲讲这些心得。忽听“咔嚓”一声巨响，天上打下来个落地雷，擦着教室落在花园里——青色的电光从狭窄的石窗照进来，映得石墙上一片惨白。教授手捂着心口，对学生们转过身来，说道：先生们，我们触及了上帝的秘密……我读到这个故事时，差点把肠子笑断了。三次方程算个啥，还值得打雷——教授把上帝看成个小心眼了。数学我也学了不少，学来学去没了兴趣，也搁下了。类似的学科还有物理学、化学，初学时兴趣都很大，后来就没兴趣了，现在未必记得多少。

总而言之，我对研究学问这件事和研究学问的人有兴趣，对这门学问本身没什么兴趣。所有的功课我都是这么学的，但我的成绩竟都是五分。只有一门功课例外，那就是计算机编程，我学的时候还要穿纸带，没意思透了。这一门学科里没有名人轶事，除了这门科学的奠基人图林先生是同性恋，败露后自杀了。我既不是同性恋，也不想自杀，所以我对计算机没兴趣，得的全是三分。但我现在时常用得着它，所以还要买书看看，关心一下最新的进展，以免用时抓瞎。这是因为我写文章的软件是自己编的，别人编的软件我既使不惯，也信不过，就这么点原因。但就因为这点小原因，我在编程序这件事上，还真正有点修为。由此可见，对研究某种学问这件事感兴趣和对这门学问本身感兴趣可以完全是两回事。

这篇小文章想写我的心路历程，但有一件别人的事情越过了这个历程，我决定也把它写上。“文革”中期，我哥哥去看一位多年不见的高中同学。走进那间房子，我哥哥被惊呆了：这间房子有整整的一面被巨幅的世界地图占满了。这位同学身着蓝布大褂，足蹬布底的黑布鞋，手掂红蓝铅笔，正在屋里踱步，而且对家兄的出现视而不见。据家兄说，这位先生当时梳了个中分头，假如不拿红蓝铅笔，而是夹着把雨伞，就和那张伟大领袖去安源的画一模一样了。我哥哥耐心地等待了一会儿，才小声问道：能不能请教一下……你这是在干吗呢？他老人家不理我哥哥，又转了两圈，才把手指放到嘴上，说道：嘘，我在考虑世界革命的战略问题。然后我哥哥就回家来，脸皮乌紫地告诉我此事。然后我们哥俩就捧腹大笑，几乎笑断了肠子……

罗素、弗雷泽研究逻辑，是对逻辑本身感兴趣，要解决逻辑领域的问题，正如毛主席投身革命事业，也是对革命本身感兴趣，要解决中国社会的问题。在解决问题的过程中，这些先辈自然会有些事迹，让人很感兴趣。如果把对问题本身的兴趣抹去，只追求这些事迹，就显得多少有点不对头。所以，真正有出息的人是对名人感兴趣的东西感兴趣，并且在那上面做出成就，而不是仅仅对名人感兴趣。

古时候有位书生，自称是苏东坡的崇拜者。有人问他：你是喜欢苏东坡的诗词呢，还是喜欢他的书法？书生答道：都不是的，我喜欢吃东坡肉……东坡肉炖得很烂，肥而不腻，的确很好吃。但只为东坡肉来崇拜苏东坡，这实在是个太小的理由。

（本篇最初发表于1996年第二十期《三联生活周刊》杂志）

文明与反讽

据说在基督教早期，有位传教士（死后被封为圣徒）被一帮野蛮的异教徒逮住，穿在烤架上用文火烤着，准备拿他做一道菜。该圣徒看到自己身体的下半截被烤得滋滋冒泡，上半截还纹丝未动，就说：喂！下面已经烤好了，该翻翻个了。烤肉比厨师还关心烹调过程，听上去很有点讽刺的味道。那些野蛮人也没办他的大不敬罪——这倒不是因为他们宽容。人都在烤着了，还能拿他怎么办。如果用棍子去打、拿鞭子去抽，都是和自己的午餐过不去。烤肉还没断气，一棍子打下去，将来吃起来就是一块淤血疙瘩，很不好吃。这个例子说明的是：只要你不怕做烤肉，就没有什么阻止你说俏皮话。但那些野蛮人听了多半是不笑的：总得有一定程度的文明，才能理解这种幽默——所以，幽默的圣徒就这样被没滋没味的人吃掉了。

本文的主旨不是拿人做烤肉，而是想谈谈反讽——照我看，任何一个文明都该容许反讽的存在，这是一种解毒剂，可以防止人把事情干到没滋没味的程度。谁知动笔一写，竟写出件烧烤活人的事，我也不知道是为什么。让我们进入正题，且说维多利亚女王时期，英国的风气极是假正经。上等人说话都不提到腰以下的部位，连裤子这个字眼都不说，更不要说屁股和大腿。为了免得引起不良的联想，连钢琴腿都用布遮了起来。还有桩怪事，在餐桌上，鸡胸脯不叫鸡胸脯，叫作白肉，鸡大腿不叫鸡大腿，叫作黑肉——不分公鸡母鸡都是这么叫。这么称呼鸡肉，简直是脑子有点毛病。照我看，人若是连鸡的胸脯、大腿都不敢面对，就该去吃块砖头。问题不在于该不该禁欲，而在于这么搞实在是没劲透了。英国人就这么没滋没味地活着，结果是出了件怪事情：就在维多利亚时期，英国出现了一大批匿名出版的地下小说，通通是匪夷所思的色情读物。直到今天，你在美国逛书店，假如看到书架上钉块牌子，上书“维多利亚时期”，架子上放的准不是假正经，而是真色情……

坦白地说，维多利亚时期的地下小说我读了不少——你爱说我什么就说什么好了。我不爱看色情书，但喜欢这种逆潮流而动的事——看了一些就开始觉得没劲。这些小说和时下书摊上署名“黑松林”的下流小册子还是有区别的，可以看出作者都是有文化的人。其中有一些书，还能称得上是种文学现象。有一本还有剑桥文学教授作的序，要是没有品，教授也不会给它写序。我觉得一部分作者是律师或者商人，还有几位是贵族。这是从内容推测出来的。至于书里写到的事，当然是不敢恭维。

看来起初的一些作者还怀有反讽的动机，一面捧腹大笑，一面胡写乱写，搞到后来就开始变得没滋没味，把性都写到了荒诞不经的程度。

所以，问题还不在于该不该写性，而在于不该写得没劲。

过了一个世纪，英国的风气又是一变。无论是机场还是车站，附近都有个书店，布置得怪模怪样，霓虹灯乱闪，写着“小孩不准入内”，有的进门还要收点钱。就这么一惊一乍的，里面有点啥？还是维多利亚时期的小说以及它们的现代翻写本，这回简直是在犯贫。终于，福尔斯先生朝这种现象开了火。这位大文豪的作品中国人并不陌生，《法国中尉的女人》《石屋藏娇》，国内都有译本。特别是后一本书，假如你读过维多利亚时期的原本，才能觉出逗来。有本维多利亚时期的地下小说，写一个光棍汉绑架了一个小姑娘，经过一段时间，那女孩爱上他了——这个故事被些无聊的家伙翻写来翻写去，翻到彻底没了劲。福尔斯先生的小说也写了这么个故事，只是那姑娘被关在地下室里，先是感冒了，后来得了肺炎，然后就死了。当然，福尔斯对女孩没有恶意，他只是在反对犯贫。总而言之，当一种现象（不管是社会现象还是文学现象）开始贫了的时候，就该兜头给它一瓢凉水。要不然它还会贫下去，就如美国人说的，散发出屁眼气味——我是福尔斯先生热烈的拥护者。我总觉得文学的使命就是制止整个社会变得无趣……当然，你要说福尔斯是反色情的义士，我也没什么可说的。你有权利把任何有趣的事往无趣处理解。但我总觉得福尔斯要是生活在维多利亚时期，恐怕也不会满足于把鸡腿叫作黑肉，他总要闹点事，写地下小说或者还不至于，但可能像王尔德一样，给自己招惹些麻烦。我觉得福尔斯是个反无趣的义士。

假如我是福尔斯那样的人，现在该写点啥？我总禁不住想向《红楼梦》开火。其实我还有更大的题目，但又不想作死——早几年兴文化衫，有人在胸口印了几个字“活着没劲”，觉得自己有了点幽默感，但所有写应景文章的人都要和这个人玩命，说他颓废——反讽别的就算了吧，这回只谈文学。曹雪芹本人不贫，但写各种“后梦”的人可是真够贫的，然后又闹了小一个世纪的红学。我觉得全中国无聊的男人都以为自己是贾宝玉，以为自己不是贾宝玉的，还算不上是个无聊的男人。看来我得把《红楼梦》反着写一下——当然，这本书不会印出来的：刚到主编的手里，他就要把我烤了。罪名是现成的：亵渎文化遗产，民族虚无主义。那位圣徒被烤的故事在我们这里，也不能那样讲，只能改作：该圣徒在烤架上不断高呼“我主基督万岁”“圣母玛利亚万岁”“打倒异教徒”，直至完全烤熟。连这个故事也变得很没劲了。

（本篇最初发表于1996年第二十一期《三联生活周刊》杂志）

有关贫穷

国外有位研究发展的学者说：贫穷是一种生活方式——这话很有点意思。他的意思是说，穷人不单是缺钱。你给他钱他也富不起来，他的主要问题是陷到一种穷活法里去了。这话穷人肯定不爱听——我们穷就够倒霉的了，还说这是一种生活方式，这不是拿穷人寻开心又是什么。我本人过够了苦日子，到现在也不富裕，按说该有一个穷人的立场，但我总觉得这话是有道理的。贫穷的确是种生活方式，这种生活方式还有很大的感召力。

我现在住在一楼，窗外平房住了一位退休的大师傅，所以有机会对一种生活方式作一番抵近的观察：这位老先生七十多岁了，是农村出来的，年轻时肯定受过穷，老了以后，这种生活又在他身上复苏了。每天早上五点，他准要起来把全大院的垃圾箱搜个遍，把所有的烂纸捡到他门前——也就是我的窗前。这地方变成了一片垃圾场，飞舞着大量的苍蝇。

住在垃圾场里，可算是个标准穷光蛋，而且很不舒服。但这位师傅哪里都不想去，成天依恋着这堆垃圾，拨拉拨拉东，拨拉拨拉西，看样子还真舍不得把这些破烂卖出去。我的屋里气味很坏，但还不全是因为这些垃圾。老师傅还在门前种了些韭菜，把全家人的尿攒起来，经过发酵浇在地里。每回他浇过了韭菜，我就要害结膜炎。二十年前我在农村，有一回走在大路上，前面翻了一辆运氨水的车，熏得我头发都立了起来——从那以后我再没闻到过这么浓烈的臊味。这位老先生捡了一大堆废纸板，不停地往纸板里浇水——纸板吸了水会压秤。但据我所见，这些纸板有一部分很快就变成了霉菌……我倒希望它长点蘑菇，蘑菇的气味好闻些，但它就是不长。我觉得这位师傅没穷到非捡垃圾不可的地步，劝他别捡了，但他就是不听。现在我也不劝了。不但如此，我见了垃圾堆就要多看上一眼——以前我没这种毛病。

我知道旧社会穷人吃糠咽菜，现在这世界上还有不少人吃不上饭、穿不上衣服。没人喜欢挨饿受冻——谁能说饥饿是生活方式呢？但这只是贫穷的一面，另一面则是，贫穷的生活也有丰富的细节，令人神往。就拿我这位邻居来说，这些细节是我们院里的五六十座垃圾箱。他去访问之前，垃圾都在箱里，去过之后，就全到了外面，别人对此很是讨厌，常有人来门前说他，他答之以暧昧的傻笑。另外，他搜集的纸板不全是从垃圾里捡来的。有些是别人放在楼道里的纸箱，人家还要呢，也被他弄了来。物主追到我们这里来说他，他也傻笑上一通。其实他有钱，但他喜欢捡烂纸，因为这种生活比待着丰富多彩——罗素先生曾说，参差多态乃是幸福的本源。也不知是不是这个意思。回收废旧物资是项利国利民的事业，但这么拨拉着捡恐怕是不对的。捡回来还要往里加水，这肯定是种欺诈行为。我很看不惯，决心要想出一种方法，揭穿这种欺骗。我原是学理科的，马上就想出了一种：用两根金属探针往废纸里一插，用一个摇表测废纸的电阻。如果掺了水，电阻必然要降低，然后就被测了出来。我就这么告诉邻居。他告诉我说，有人这么测来着。但他不怕，搀不了水，就往里面夹砖头。摇表测不出砖头来，就得用 X 光机。废品收购站总不能有医院放射科的设备吧……

我插队时，队里有位四川同学，外号叫波美，但你敢叫他波美他就和你玩命。他父亲有一项光荣的职业：管理大粪场。每天早上，有些收马桶的人把大粪从城里各处运来，送到他那里，他以一毛钱一担的价格收购，再卖给菜农。这些收马桶的人总往粪里掺水——这位大叔憎恶这种行径，像我一样，想出了检验的办法，用波美比重计测大粪的比重。你可能没见过这种仪器：它是一根玻璃浮子，下端盛有铅粒，外面有刻度，放进被测液体，刻度所示为比重。我想他老人家一定做过不少试验，把比重计放进各种各样的屎，才测出了标准大粪的比重。但是这一招一点都不管用：人家先往粪里掺水，再往粪里掺土，掺假的大粪比重一点都不低了。结果是他老人家贻人以笑柄，还连累了这位四川同学。大概你也猜出来了，波美就是波美比重计之简称，这外号暗示他成天泡在大粪里，也难怪他听了要急。话虽如此说，波美和他的外号曾给插友们带来了很多乐趣。

如果说贫穷是种生活方式，捡垃圾和挑大粪只是这种方式的契机。生活方式像一个曲折漫长的故事，或者像一座使人迷失的迷宫。很不幸的是，任何一种负面的生活都能产生很多乱七八糟的细节，使它变得蛮有趣的。人就在这种趣味中沉沦下去，从根本上忘记了这种生活需要改进。用文化人类学的观点来看，这些细节加在一起，就叫作“文化”。有人说，任何一种文化都是好的，都必须尊重。就我们谈的这个例子来说，我觉得这解释不对。在萧伯纳的《英国佬的另一个岛》里，有一位年轻人这么说他的穷父亲：“一辈子都在弄他的那片土、那只猪，结果自己也变成了一片土、一只猪。”要是一辈子都这么兴冲冲地弄一堆垃圾、一桶屎，最后自己也会变成一堆垃圾、一桶屎。

所以，我觉得总要想出些办法，别和垃圾、大粪直接打交道才对。

（本篇最初发表于1996年第二十三期《三联生活周刊》杂志）

卖唱的人们

有一次，我在早上八点半钟走过北京的西单北大街，这个时间商店都没有开门，所以人行道上空空荡荡，只有满街飞扬的冰棍纸和卖唱的盲人。他们用半导体录音机伴奏，唱着民歌。我到过欧美很多地方，常见到各种残疾人乞讨或卖唱，都不觉得难过，就是看不得盲人卖唱。这是因为盲人是最值得同情的残疾人，让他们乞讨是社会的羞耻。再说，我在北京见到的这些盲人身上都很脏，歌唱得也过于悲惨。凡是他们唱过的歌，我都再也不想听到。当时满街都是这样的盲人，就我一个明眼人，我觉得这种景象有点过分。我见过各种各样的卖唱者，就属那天早上看到的最让人伤心。我想，最好有个盲人之家，把他们照顾起来，经常洗洗澡，换换衣服，再有辆面包车，接送他们到各处卖唱，免得都挤在西单北大街——但是最好别卖唱。很多盲人有音乐天赋，可以好好学一学，做职业艺术家。美国就有不少盲人音乐家，其中有几个还很有名。

本文的宗旨不是谈如何关怀盲人，而是谈论卖唱——当然，这里说的卖唱是广义的，演奏乐器也在内。我见过各种卖唱者，其中最怪异的一个是在伦敦塔边上看到的。这家伙有五十岁左右，体壮如牛，头戴一顶猎帽，上面插了五彩的鸵鸟毛，这样他的头就有点像儿童玩的羽毛球；身上穿了一件麂皮茄克，满是污渍，但比西单的那些盲人干净——那些人身上没有污渍，整个人油亮油亮的——手里弹着电吉他，嘴上用铁架子支了一只口琴，脚踩着一面踏板鼓，膝盖拴有两面钹，靴子跟上、两肘拴满了铃，其他地方可能也藏有一些零碎，因为从声音来听，不止我说到的这些。他在演奏时，往好听里说，是整整一支军乐队，往难听里说，是一个修理黑白铁的工场。演奏着一些俗不可耐的乐曲。初看时不讨厌，看过一分钟，就得丢下点零钱溜走，否则就会头晕，因为他太吵人。我不喜欢他，因为他是个哗众取宠的家伙。他的演奏没有艺术，就是要钱。

据我所见，卖唱不一定非把身上弄得很脏，也不一定要哗众取宠。比方说，有一次我在洛杉矶乘地铁，从车站出来，走过一个很大的过厅。这里环境很优雅，铺着红地毯，厅中央放了一架钢琴。有一个穿黑色燕尾服的青年坐在钢琴后面，琴上放了一杯冰水。有人走过时，他并不多看你，只弹奏一曲，就如向你表示好意。假如你想回报他的好意，那是你的事。无心回报时，就带着这好意走开。我记得我走过时，他弹奏的是《八音盒舞曲》，异常悠扬。时隔十年，我还记得那乐曲和他的样子，他非常年轻。人在年轻时，可能要做些服务性的工作，糊口或攒学费，等待进取的时机，在公共场所演奏也是一种。这不要紧，只要无损于尊严就可。我相信，这个青年一定会有很好的前途。

下面我要谈的是我所见过的最动人的街头演奏，这个例子说明在街头和公共场所演奏，不一定会有损个人尊严，也不一定会使艺术蒙羞——只可惜这几个演奏者不是真为钱而演奏。一个夏末的星期天，我在维也纳，阳光灿烂，城里空空荡荡，正好欣赏这座伟大的城市。维也纳是奥匈帝国的首都，帝国已不复存在，但首都还是首都。到过那座城市的人会同意，“伟大”二字绝非过誉。在那个与莫扎特等伟大名字联系在一起的歌剧院附近，我遇上三个人在街头演奏。不管谁在这里演奏，都显得有点不知寒碜。只有这三个人例外。拉小提琴的是个金发小伙子，穿件毛衣，一条宽松的裤子，简朴但异常整洁。他似是这三个人的头头，虽然专注于演奏，但也常看看同伴，给她们无声的鼓励。有一位金发姑娘在吹奏长笛，她穿一套花呢套裙，眼睛里有点笑意。还有一个东亚女孩坐着拉大提琴，乌黑的齐耳短发下一张白净的娃娃脸，穿着短短的裙子、白袜子和学生穿的黑皮鞋，她有点慌张，不敢看人，只敢看乐谱。三个人都不到二十岁，全都漂亮至极。至于他们的音乐，就如童声一样，是一种天籁。这世界上没有哪个音乐家会说他们演奏得不好。我猜这个故事会是这样的，他们三个是音乐学院的同学，头一天晚上，男孩说：敢不敢到歌剧院门前去演奏？金发女孩说：敢！有什么不敢的！至于那东亚女孩，我觉得她是我们的同胞。她有点害羞，答应了又反悔，反悔了又答应，最后终于被他们拉来了。除了我们之外，也有十几个人在听，但都远远地站着，恐怕会打扰他们。有时会有个老太太走近去放下一些钱，但他们看都不看，沉浸在音乐里。我坚信，这一幕是当日维也纳最美丽的风景。我看了以后有点嫉妒，因为他们太年轻了。青年的动人之处，就在于勇气，和他们的远大前程。

（本篇最初发表于1996年第七期《辽宁青年》杂志）

工作与人生

我现在已经活到了人生的中途，拿一日来比喻人的一生，现在正是中午。人在童年时从朦胧中醒来，需要一些时间来克服清晨的软弱，然后就要投入工作；在正午时分，他的精力最为充沛，但已隐隐感到疲惫；到了黄昏时节，就要总结一日的工作，准备沉入永恒的休息。按我这种说法，工作是人一生的主题。这个想法不是人人都能同意的。我知道，在中国，农村的人把生儿育女看作是一生的主题。把儿女养大，自己就死掉，给他们空出地方来——这是很流行的想法。在城市里则另有一种想法，但不知是不是很流行：它把取得社会地位看作一生的主题。站在北京八宝山的骨灰墙前，可以体会到这种想法。我在那里看到一位已故的大叔墓上写着：副系主任、支部副书记、副教授、某某教研室副主任，等等。假如能把这些“副”字去掉个把，对这位大叔当然更好一些，但这些“副”字最能证明有这样一种想法。顺便说一句，我到美国的公墓里看过，发现他们的墓碑上只写两件事：一是生卒年月，二是某年至某年服兵役。这就是说，他们以为人的一生只有这两件事值得记述：这位上帝的子民曾经来到尘世，以及这位公民曾去为国尽忠，写别的都是多余的，我觉得这种想法比较质朴……恐怕在一份青年刊物上写这些墓前的景物是太过伤感，还是及早回到正题上来罢。

我想要把自己对人生的看法推荐给青年朋友们：人从工作中可以得到乐趣，这是一种巨大的好处。相比之下，从金钱、权力、生育子女方面可以得到的快乐，总要受到制约。举例来说，现在把生育作为生活的主题，首先是不合时宜；其次，人在生育力方面比兔子大为不如，更不要说和黄花鱼相比较；在这方面很难取得无穷无尽的成就。我对权力没有兴趣，对钱有一些兴趣，但也不愿为它去受罪——做我想做的事（这件事对我来说，就是写小说），并且把它做好，这就是我的目标。我想，和我志趣相投的人总不会是一个都没有。

根据我的经验，人在年轻时，最头疼的一件事就是决定自己这一生要做什么。在这方面，我倒没有什么具体的建议：干什么都可以，但最好不要写小说，这是和我抢饭碗。当然，假如你执意要写，我也没理由反对。总而言之，干什么都是好的；但要干出个样子来，这才是人的价值和尊严所在。人在工作时，不单要用到手、腿和腰，还要用脑子和自己的心胸。我总觉得国人对这后一方面不够重视，这样就会把工作看成是受罪。失掉了快乐最主要的源泉，对生活的态度也会因之变得灰暗……

人活在世上，不但有身体，还有头脑和心胸——对此请勿从解剖学上理解。人脑是怎样的一种东西，科学还不能说清楚。心胸是怎么回事就更难说清。对我自己来说，心胸是我在生活中想要达到的最低目标。某件事有悖于我的心胸，我就认为它不值得一做；某个人有悖于我的心胸，我就觉得他不值得一交；某种生活有悖于我的心胸，我就会以为它不值得一过。罗素先生曾言，对人来说，不加检点的生活，确实不值得一过。我同意他的意见：不加检点的生活，属于不能接受的生活之一种。人必须过他可以接受的生活，这恰恰是他改变一切的动力。人有了心胸，就可以用它来改变自己的生活。

中国人喜欢接受这样的想法：只要能活着就是好的，活成什么样子无所谓。从一些电影的名字就可以看出来：《活着》《找乐》……我对这种想法是断然地不赞成，因为抱有这种想法的人就可能活成任何一种糟糕的样子，从而使生活本身失去意义。高尚、清洁、充满乐趣的生活是好的，人们很容易得到共识。卑下、肮脏、贫乏的生活是不好的，这也能得到共识。但只有这两条远远不够。我以写作为生，我知道某种文章好，也知道某种文章坏。仅知道这两条尚不足以开始写作。还有更加重要的一条，那就是：某种样子的文章对我来说不可取，绝不能让它从我笔下写出来冠以我的名字登在报刊上。以小喻大，这也是我对生活的态度。

（本篇最初发表于 1996 年第十期《辽宁青年》杂志）

环境问题

我生在北京城里。小时候，我爬到院里的高楼顶上——这座楼在西单——四下眺望，经常能看到颐和园的佛香阁。西单离颐和园起码有二十里地。几年前，我住在北大畅春园，离颐和园只有数里之遥，从窗户里看佛香阁，十次倒有八次看不见。北京的空气老是迷迷糊糊的，有点迷眼，又有点呛嗓子，我小时候不是这样。我已经长大了，变成了一条车轴汉子——这是指衬衣领子像车轴而言。在北京城里住，几乎每天都要换衬衣，在国外时，一件衬衣可以穿好几天。世界上有很多以污染闻名的城市：米兰、洛杉矶、伦敦，等等，我都去过，只有墨西哥城例外。就我所见，北京城的情况在这些城市里也是坏的。

但我对北京环境改善充满了信心。这是因为一座现代大都市，有能力很快改善环境，北京是首都，自然会首先改善。不信你到欧美的大城市看看，就会发现有些旧石头房子像瓦窑里面一样黑，而新的石头房子则像雪一样白。找个当地人问问，他们会说：老房子的黑是煤烟熏的。现在没有煤烟，石头墙就不会变黑了。我在美国的匹兹堡留过学，那里是美国的钢铁城市，以污染著称。据当地人说，大约三十年前，当地人出门访友时，要穿一件衬衣，带一件衬衣。身上穿的那件在路上就脏了，到了朋友家里再把带的那件换上。现在的情况是：那里的空气很干净。现代大城市有办法解决环境问题：有财力，也有这种技术。到了非解决不可时，自然就会解决。在这一天到来之前，我们可以戴风镜、戴口罩来解决空气不好的问题。

我现在住的地方在城乡结合部，出门不远，就不归办事处管，而是乡政府的地面。我家楼下是个农贸市场，成天来往着一些砰砰乱响的东西：手扶拖拉机、小四轮、农用汽车，等等。这些交通工具有一个共同点：全装着吼声震天、黑烟滚滚的柴油机。因为有这种机器，我认为城市近郊、小城镇等地环境问题更严重。人家总说城市里噪音严重，但你若到郊区的公路边坐上一天，回来大概已经半聋了。县城的城关大多也吵得要命，上那里逛逛，回来时鼻孔里准是黑的。据报道，我国的农用汽车产值超过了正装汽车。叫作农用车，其实它们净往城市和郊区跑。这类地方人烟稠密，和市中心差不了很多。这里的人既有鼻子，又有耳朵，因此造这种车时，工艺也宜考究些，要把环境因素考虑在内才好，否则是用不了几年的。

在这方面我有一个例子，七四年我在山东烟台一带插队，见到现在农用车的鼻祖：它是大车改制的，大车已经有两个轮子，在车辕部位装上个转盘，安上抽水磨面的柴油机，下面装上第三个轮子，用三角皮带带动，驾驶员坐在辕上，转弯时推动转盘，连柴油机带底下的轮子一块转。我不知它的正式名称叫什么，只知道它的雅号叫作“宁死不屈”，因为在转急弯时，它会把头一扭，把驾驶员扔下车去，然后就头在后，屁股在前，一路猛冲过去，此时用手枪、冲锋枪去打都不能让它停住，拿火箭筒来打它又来不及，所以叫宁死不屈。当然，最后它多半是冲进路边的店铺，撞在柜台上不动了。但那台肇事的柴油机还在恬不知耻地吼叫着。后来，它被政府部门坚决取缔了。不安全只是原因之一，主要的原因是：它对环境的影响是毁灭性的。那东西吵得厉害，简直是天理难容。跑在烟台二马路上，两边的人都要犯心脏病。发展农用汽车，也要以“宁死不屈”为鉴。

说到环境问题，好多人以为这是近代机器文明造成的，其实大谬不然。说到底，环境问题是人的问题。煤烟、柴油机是糟糕，但也是人愿意忍受它。到了不愿忍受时，自然会想出办法来。老北京是座消费城市，虽然没有什么机器，环境也不怎么样：晴天三尺土，雨天一街泥。我从书上看到，旧北京所有的死胡同底部、山墙底下都是尿窝子，过往行人就在那里撒尿。日久天长，山墙另一面就会长出白色的晶体，成分是硝酸铵，经加工可以做鞭炮。有些大妈还用这种东西当盐来炖肉，说用硝来炖肉能炖烂——但这种肉我是不肯吃的。有人说，喝尿可以治百病，但我没有这种嗜好。我宁可得些病。很不幸的是，这些又骚又潮的房子里还要住人，大概不会舒适。天没下雨，听见自己家墙外老是哗哗的，心情也不会好。费孝通先生有篇文章谈“差序格局”，讲到二三十年代江南市镇，满河漂着垃圾，这种环境也不能说是好。我住的地方不远处，有片乱七八糟的小胡同，是外来人口聚集区。有时从那里经过，到处是垃圾，污水到处流，苍蝇到处飞，排水口的箅子上净是粪——根本不成个世界。有一大群人住在一起，只管糟蹋不管收拾，所以就成了这样——此类环境问题源远流长，也没听谁说过什么。

就我所见，一切环境问题都是这么形成的：工业不会造成环境问题，农业也不会造成环境问题，环境问题是人造成的。知识分子悲天悯人的哀号解决不了环境问题，开大会、大游行、全民总动员也解决不了这问题。只要知道一件事就可以解决环境问题：人不能只管糟蹋不管收拾。收拾一下环境就好了，在其中生活也能像个体面人。

（本篇最初发表于1996年第十一期《中国青年》杂志，发表时题目为“人不能只管糟蹋不管收拾”。）

写给新的一年（一九九七年）

又到了新的一年。一年年地过得真快。转眼之间四十多年就过去了，真让人不敢相信。在新年来临之际，本来该讲点凑趣的话，但我偏偏想起自己见过的种种古怪事来。我小的时候，大概是六七岁时吧，见过一件有趣的事：当时的成年人都在忙着做一种叫作“超声波”的东西。比我年长的人一定记得更清楚：用一根铁管砸出个扁口来，再在扁口的尖上装上刀片。据说冷水从扁门里冲出来，射在刀片上，就能产生振荡，发出超声波来，而超声波不仅能蒸馒头，更能使冷水变热。假如这超声波能起作用，那么我们肯定不会缺少热水——何止是不会缺少热水，简直是可以解决一切能源问题。那时公共澡堂的浴池里到处埋伏着这种东西，去洗澡时可要小心，一不留神就会把屁股割破，水会因此变红，但也没因此变热——到现在我们洗热水澡还要用煤气来烧，看来这超声波是不起作用的——这也没有什么。奇怪的是这件事就没了下文，再也没人提，好像是我自己梦到了这件东西，就是这件事让我感到奇怪。

另一件事情发生在二十多年前，当时我是个知青，从乡下回来，凌晨赶头一班电车回家。走到胡同口，那儿有家小医院。在朦胧的曙光里，看到好多人在医院门前排队。每个人都挎了个篮子，篮子里盛着一只雄赳赳的大公鸡。当时我以为那家医院已经关了门，把房子让给了禽类加工站，这些人等着加工站的人帮他们宰鸡。谁知不是的，他们在等医院的人把鸡血抽出来，打进他们的血管里。据说打过鸡血之后，人会变得精神百倍，返老还童。排队的人还告诉我说，在所有的动物中，公鸡的精神最旺，天不亮就起来打鸣，所以注射公鸡血会有很神奇的作用——但我不明白起早打鸣有什么了不起，猫头鹰还整夜不睡呢。那一阵子每天早上五点钟我准会被打鸣声吵醒，也不知是鸡打鸣还是人打鸣——假如打鸡血会使人精神旺盛得像只公鸡，可能他也会在五点钟起来打鸣，这样就省了闹钟了。当然，这件事也没了下文，忽然间没人再打鸡血，也没人再提到打鸡血的事，又好像是我在做梦。

假如我不是从六岁起就在做梦，一直梦到了如今，这两件事情就值得在岁末年初时提起：我记得人们一直在发明各种诀窍，企图用它们解决重大的现实问题。用小煤炉子炼钢，用铁管做超声波哨子，用这些古怪的方法解决现代工业才能解决的问题。把鸡血打进血管，每天喝掉好几盆凉开水，早上起来站在路边甩手不休，用这些方法解决现代医学解决不了的问题——既然说到了甩手，就不如多说几句：有一阵子盛传甩手治百病，到处都是站着甩手的人，好像一些不倒翁。可能你也甩过，只是现在不记得了。忽然间就不让甩了，据说有个恶毒的反革命分子发明了这种动作，以此来传达一种恶毒的寓意：让全国人民都甩手不干了……现在最新的诀窍是：假如你得了癌症，不必去医院，找个大气功师来，他可以望空抓上一把，把这个癌抓出来。这些诀窍在科学面前，只能用古怪二字来形容。但我说到的这些还不是最大的古怪。最大的古怪是在知识的领域里……

不知道人们记不记得，“文化大革命”里有过一个工农兵学哲学的浪潮。据说哲学就是聪明学，学了哲学人就会变得很聪明，可以解决一切问题。假如真能耐着性子把哲学学会，人也许能够变得聪明一些。但当时的人学的并非真正的哲学，而是一些很简单的咒语和小诀窍。怀疑这些诀窍是很不聪明的：你会被打成落后分子，甚至是反革命。我虽然很革命，但总不相信在这些咒语里包含了很多的聪明，不管怎么说吧，这种古怪就这样诞生了。时至今日，文化人总在不断地发现新的咒语和诀窍，每发现一个，就像电影《地雷战》里那个反面角色那样兴冲冲地奔走相告：地雷的秘密我知道了！在这种一惊一乍的气氛中，我们知道了“第三次浪潮”“后现代”，还知道了不管说点什么，都要从文化的角度去说；只要从这个角度去说，那你就是很聪明的。作为一个知识分子，我对文化、浪潮等抱有充分的尊敬，对哲学和文化人类学也很有兴趣。我不满意的只是在知识领域里的这种古怪现象：它和超声波哨子、打鸡血是同一类的东西。热起来人人都在搞，过后大家都把它忘掉。最后只剩下我一个人记着这些事情，感觉很是寂寞。

我说起种种古怪的事来，总该有个结论。据我所见，诀窍和真正的知识是不同的。真正的知识不仅能说明一件事应该怎样做，还能说明为什么要这样做。而那些诀窍呢，从来就说不出为什么，所以是靠不住的。能使人变聪明的诀窍是没有的。倒是有种诀窍能使人觉得自己变聪明了，实际上却变得更笨。人应该记住自己做过的聪明事，更该记得自己做的那些傻事——更重要的是记住自己今年几岁了，别再搞小孩子的把戏。岁末年初，总该讲几句吉利话：但愿在新的一年里，我们能远离一切古怪的事，大家都能做个健全的人——我实在想不出有什么话比这句话更吉利。

（本篇最初发表于 1997 年 1 月 3 日《光明日报》）

男人眼中的女性美

从男人的角度谈女人的外在美，这个题目真没什么可说的。这是一个简单的、绝对的命题。从远了说，海伦之美引起了特洛伊战争；从近了说，玛丽莲·梦露之美曾经风靡美国。一个男人，只要他视力没有大毛病，就都能欣赏女人的美。因为大家都有这种能力，所以这件事常被人用来打比方——孟夫子就喜欢用“目之于色也有同美焉”这个例子来说明大家可以有一致的意见，很显然，他觉得这样一说大家就会明白。谁都喜欢看见好看一点的女人，这一点在男人中间可说是不言自明的。假如还有什么争议，那是在女人中间，绝不是在男人中间。

当年玛丽莲·梦露的三围从上面数，好像是34、22、34（英寸）。有位太太看这个小妖精太讨厌，就自己掏钱买了一套内衣给她寄去，尺寸是22、34、22，让她按这个尺寸练练，煞煞男人的火。据我所知，梦露小姐没有接受她的意见。这是说到身材，还没说到化妆不化妆，打扮不打扮。这类题目只有在女人杂志上才是中心议题，我所认识的男人在这方面都有一颗平常心，也就是说，见到好看的女人就多看一眼，见到不好看的就少看一眼，仅此而已。多看一眼和少看一眼都没什么严重性。所以我认为，在我们这里，这问题在女人中比在男人中敏感。

大贤罗素曾说，人人埋应生来平等。但很可惜，事实不是这样。有人生来漂亮，有人生来就不漂亮，与男人相比，女人更觉得自己是这种不平等的牺牲品。至于如何来消除这种不平等，就有各种解决的办法。给梦露小姐寄内衣的那位太太就提出了一种解法，假设那套内衣是她本人穿的，这就意味着请梦露向她看齐；假如这个办法被普遍地采用，那么男人会成为真正的牺牲品。

在国外可以看到另一种解决不平等的方法，那里年轻漂亮的小姐们不怎么化妆，倒是中老年妇女总是要化点妆。这样从总体上看，大家都相当漂亮。另外，年轻、健康，这本身就是最美丽的，用不着用化妆品来掩盖它。我觉得这样做有相当的合理性。国内的情况则相反，越是年轻漂亮的小姐越要化妆，上点岁数的就破罐破摔，蓬头垢面——我以为这是不好的。

假如有一位妇女修饰得恰到好处地出现在我面前，我是很高兴的。这说明她在乎我对她的看法，对我来说是一种尊重。但若修饰不得法，就是一种灾难。几年前，我到北方一座城市出差，看到当地的小姐们都化妆，涂很重的粉，但那种粉颜色有点发蓝，走在阳光灿烂的大街上尚称好看，走到了暗处就让人想起了戏台上的窦尔敦。另外，当地的小姐都穿一种针织超短裙，大概此种裙子很是新潮，但有一处弊病，就是会朝上收缩，走在街上裙子就会呈现一种倒马鞍形。于是常能看到有些很可爱的妇女走在当街叉开腿站下来，用手抓住裙子的下摆往下拉——那情景实在可怕。所以我建议女同志们在选购时装和化妆品时要多用些心，否则穿得随便一点，不化妆会更好一点。

对于妇女在外貌方面的焦虑情绪，男人的平常心是一副解毒剂。另外，还该提到女权主义者的看法，她们说：我们干吗要给男人打扮？这话有些道理，也有点过激。假如修饰自己意味着尊重对方，还是打扮一下好。

愚人节有感

我写这篇文章时，正逢四月一日，哪天登出来我就不知道了。这一天西方的报刊总会登出些骇人听闻的新闻，比方说几年前，英国一家有名的科学刊物登出一则消息说：英国科学家把牛的基因和西红柿的基因融合在一起，培育出一种牛西红柿。这种西红柿吃起来当然是番茄牛腩的味道。西红柿的皮扒下来可以做鞋子，有些母的西红柿会滴下白色的液体，可以当牛奶来喝，也可以做乳酪。午夜时分从西红柿地边上经过，可以听见阵阵牛鸣，好像是闹鬼一般。咱们国家的一些报纸转载了这条消息，还敦促我国的生物学家一定要迎头赶上——但他们好像还没赶上，因为市面上没有卖西红柿皮鞋的。这是好几年前的事了，可能还有人记得。今天英国报纸上有一则古怪新闻，说要割让他们的北爱尔兰来换我们的香港，这居心何其毒也——谁不知道北爱尔兰是老大一堆的麻烦。早上我打开电子信箱，发现有一老友发来《妖魔化中国》一书的摘要和背景材料，要我写篇评论文章，登时把我气得脸青——这种娄子我捅过了一次还不够么？想要害死我也不是这么种害法嘛！后来看看日历，火又消了。今天是愚人节呀。

虽然今天是愚人节，我也不敢再妄评新书了。说本老书吧。我看过的第一本“字书”是《吹牛大王历险记》。说老实话，这书还不能算完全的字书，因为有一半是字，另一半是画。其中有些故事很适合在今天讲：吹牛大王在森林里打猎，遇上一头鹿，可叹的是手边没有子弹，只好把樱桃核发射出去，打在鹿额头上，鹿跑了。过几天在森林里遇到该鹿，它头上长出了一棵樱桃树。大王一枪把它放倒，饱餐了一顿烤鹿肉加一顿鲜樱桃。假如这是真的，很有必要给每个人头上都打进一颗樱桃核——出门不用带阳伞了。另一个故事更加神妙：吹牛大王在森林里遇上了一只美丽的狐狸，就是用最小号的枪弹去打，也难免会伤损皮毛。他射出了一根大针，把狐狸尾巴钉牢在树上，然后折了一根树条，狠揍了狐狸一顿。狐狸吃打不过，只好从它自己的嘴里跳出去跑掉了。吹牛大王得到了一张完美无缺的皮毛——至于那没有皮的狐狸怎样了，故事里没有讲到，我想它应该死于肺炎——没皮的狐狸很容易着凉。但这么一讲又很没意思了。在愚人节里我想到这么一个道理：要编故事，就不妨胡编乱造——愚人节的新闻看起来也蛮有意思。要讲真事就不能胡编乱造：虽然没意思，但是有价值。把两样事混在一起就一定不好：既没有意思，又没有价值。当然，这篇有感正好是把两样事混在一起来讲。所以它既没有意思，也没有价值。

驴和人的新寓言

在一则寓言里，有两个人和一头驴走在路上。这两个人是父子关系，这头驴是他们的财产。这故事很老，想必你已经听过，但都是从人的角度来讲的，现在我把它从驴的角度重新讲过。对于四足动物来说，能在路上走总比被拴在树上要强。何况春日融融，两个人都没有骑在它身上，所以它感到很幸福。我不知道驴子知不知道这样一句古话，叫作“乐极生悲”，但这意思它绝不陌生。走着走着，遇到一伙人，嘀咕了几句，儿子就骑到它身上来了。读过这则寓言的人必然知道，他们遇到了一伙农妇，她们说，瞧这两个笨伯，有驴不骑，自己走路。按照人的概念，这伙娘们是在下蛆、使坏。但驴子毫无怨言——它被人骑惯了。

文章写到了这里，我忽然想到要作点自我介绍。我是个半老不老的学究，已经活满了四张，正往五张上活着。我现在是个自由撰稿人，过着清贫的生活。我挣钱不多，和大多数中国人一样，既没有洋房，也没有汽车。我的稿子发在刊物上，只有光秃秃的一个名字，没有一对括号，里面写着“美国”。基于这些状况，我和那头驴一样知道自己傻，写个文章也本分，绝不敢起那种取巧的题目：“人眼看驴”，或者“第三只眼睛看中国”。闲话少说，让我们来讲这个故事：驴载着人往前走，又遇到了第二伙人，又嘀咕了几句，儿子就从驴背上下来，换了老头骑着。驴子知道自己傻，所以谁爱骑谁骑，它一句话都不说。

在寓言的原本里，驴子遇到的第二伙人说：瞧这少年人，骑在驴身上趾高气扬，让老父亲在后面跟着。人心不古，世道浇漓，到了何等地步。老年人的屁股硬一些，但对驴来说也没有什么。糟就糟在又遇上了第三伙人，这是一伙少妇，七嘴八舌地说：这个老头太可恨，自己骑驴舒服了，全不顾自己的孩子，让他拿两条腿来撵你们四条腿。从驴的角度来看，这话讲得没道理，什么“你们”？这四条腿都是我的！既然此驴不骑不可，谁骑也不可，两个人商量了一下，干脆就一齐骑上。 只小毛驴，背才是多大的地方。老头骑着脖子，小孩骑着屁股。驴子难免要嘀咕道：我就是傻，你们也不能这么欺负我。你来试试看，这让我怎么走路？

我既是个学究，就要读书。现在的书刊内容丰富，作者名字前面有括号的全是重要文章。有的谈新儒学，有的谈后现代，扯着扯着就扯到了治国之策。当然，这路文章的实质不是和我们商量怎么受治之策，而是和别人商量怎么治我们，这就和驴耳朵里听见人嘀咕一样，虽然听不懂，但准知道没好事。当年前苏联解体，有美国人乘飞机跑到俄国去，出个主意要大伙休克——他自己当然不休克。再早些时候，红色高棉打了天下，中国就有人给他们出主意，那就不止是要人家休克。总而言之，我看到带括号的文章，满脊梁都是鸡皮疙瘩，联想到那寓言的最后一幕。

这头驴又遇到了最后一伙人，这些人对骑驴者说：两人骑一头驴，你们想吃驴肉吗？从驴的角度来看，挨杀被吃肉倒也好了。骑在驴背上的人跳下驴背，一个揪耳朵，一个扯尾巴，把它四条腿捆在一起，穿过一根大杠子，倒扛起来，摇摇晃晃地上了路。那驴头在下，脚在上，它又不是蝙蝠，怎能待得惯。何况它四个蹄子痛入骨髓，所以大叫起来，但编寓言的人不肯翻译一下它喊些什么。我这篇文章要替驴说话，所以当翻译义不容辞——它喊的是：我得罪谁了，你们这么捏咕我！前苏联境内的休克者，高棉境内的冤魂也都这么嚷着。编寓言的人还编出一个寓意，是：“走自己的路，让别人去说。”考虑到驴的惨状，真不知是何心肝。我的寓意却是：“闭上你的臭嘴，让别人走路。”当然，还有个寓意也说得通：别当驴受人捏咕，要当捏咕驴的人——就算损人不利己，起码也赚了个开心。但这种寓意只适于狠毒的人。

北京风情

我小时候住在成方街，离北京的城墙很近。就在这条街的尽头，城墙塌了一个口子，沿着一道陡坡，躲开密密麻麻的酸枣刺，就可以上到城上。城墙上面是宽阔的大道，漫地的方砖中间长满了荒草。庚子年间，八国联军来攻打北京，看到了这座城墙。有个联军的军官在日记里写道：这是世界上最宏伟的防御工事——他是对这城墙的高度发出的感叹，而我对城墙顶上的广阔感触很深。那上面是一片荒无人迹的辽阔的地带，走上半小时碰不见一个人。后来我在美国，和台湾来的同学聊天，说到梁思成先生曾建议把北京的城墙改作高速公路，那同学笑了起来，说道：梁先生的主意真怪，城墙顶上还能修马路吗？这位同学去过世界上很多地方，看到过很多城墙，那上面都修不了马路。我也到过世界上很多城市，见过很多古城墙。罗马城的城墙算是宏伟的了，假如有两个帕瓦罗蒂那样的人在上面并肩行走，就得掉下来一个。

难怪没见过北京城墙的人要不信在上面可以修马路——其实不仅能修，而且修出来会是这世界上最伟大的人文景观之一。

过去，在北京三十四中附近的城墙里有个很大的仓库，里面放了军火和汽油。有一天爆炸了，三十四中的师生出来救人，赢得了很大的荣誉——他们学校有间荣誉室，里面挂满了那回得来的锦旗。我插队时和三十四中的学生在一起，听他们说过自己母校的光荣史。这说明城墙顶上不但能跑汽车，肚子里还能修仓库。像这样的城墙在世界上绝无仅有，可惜已经被拆了个精光。没有了宏伟的城墙、寂寞的城楼，北京城是一座没有了历史的城市。有些人会说，它怎么会没有历史——历史写在纸上。这种看法是不对的。我到过很多城市，就我所见，一座城市的历史不可能是别的，只能是它的建筑。北京城就其本来面目来说，是一座硕大无比的四合院。没有了城墙它就不成个样子。

中国有五千年的文明史，这部历史有一半写在故纸上，还有一半埋在地下，只是缺少了一部立在地上的历史，可以供人在其中漫步。我小的时候，北京不但有城墙，还有很多古老的院子——我在教育部院里住过很久，那地方是原来的郑王府，在很长时间里保持了王府的旧貌，屋檐下住满了燕子。傍晚时分，燕子在那里表演着令人惊讶的飞行术：它以闪电般的速度俯冲下来，猛地一抬头，收起翅膀，不差毫厘地钻进椽子中间一个小洞里。一二百年前，郑王府里的一位宫女也能看到这种景象，并且对燕子的飞行技巧感到诧异——能见到古人所见，感到古人所感，这种感觉就是历史感。很遗憾的是，现在北京城里盖满了高楼，燕子找不着自己住过的屋檐，所以也很少能看到了。现在的年轻人读到“似曾相识燕归来”，大概也读不懂了。所幸的是，北京还有故宫，还有颐和园。但是没有了城墙，没有了燕子，总是一种缺憾。

卡拉 OK 和驴鸣镇

有一次，愁容骑士堂吉诃德和他忠实的侍从桑乔·潘萨走在路上，遇到一伙手持刀杖去打冤家的乡下人。这位高尚的骑士问乡下人为什么要厮杀，听到了这么一个故事：在一个镇子上，住了两个朋友。有一天，其中一位走失了一头驴子，就找朋友帮忙。他们进山去找——那位帮忙的朋友说：山这么大，怎么找呢？我有一样不登大雅之堂的雕虫小技，假如你也会一点，事情就好办了。失驴的朋友说：这是怎样的技巧呢？那位帮忙者说，他会学驴叫。假如失驴者也会，大家就可以分头学着驴叫在山上巡游，那迷途的驴子听到同类的呼唤，肯定会走出来和他们会合。那失驴者答道：好计策！至于学驴叫，我岂止是会一点，简直是很精通啊！让我们依计而行吧。于是，两位朋友分头走进了山间小道，整个荒山上响起了阵阵驴鸣……

我住的这座楼隔音很坏，住户中有不少人买了卡拉 OK

机器，从早唱到晚。黑更半夜，我躺在床上听到OK之声，一面把脑袋往被窝里扎，一面就想起了这个故事——且听我把故事讲完。这两位朋友分头去寻驴，在林子深处相会了。失驴的朋友说：怎么，竟是你吗？我是不轻易恭维人的，但我要说，仅从声音上判断，你和一头驴子是没有任何区别的……那帮忙者答道：朋友，同样的话我正要用来说你！你的声音很洪亮，音度很坚强，节奏很准确。在我的长项上，我从不佩服任何人的，但我对你要五体投地，俯首称臣了！——这也正是笔者的感触。你可以去查七八年人民大学新生的体检记录，我的肺活量在两千人里排第一，可以长嚎一分钟不换气，引得全校的人都想掐死我；但总想在半夜敲邻居的门，告诉他，在嚎叫方面我对他已是五体投地——现在言归正传，那失驴者听到赞誉之后说：以前，我以为自己是个一无所长的人，现在听了你的赞誉，再不敢妄自菲薄，我也是有一技之长的人了……后来，这两位朋友又去寻驴，每次都把对方当成驴，聚在了一起。最后，总算是找到了，这可怜的畜生被狼吃得只剩些残余。那帮忙的朋友说：我说它怎么不答应！就算它死了，只要是完整的，听了你的召唤，也一定会起来回答。而那失驴的朋友却说：虽然失了驴，但也发现了自己的才能，我很开心！于是，这两个朋友下山去，把这故事告诉路人，不想给本镇招来了“驴鸣镇”的恶名——隐含的意思就是镇上全是驴。故事开始时见到的那伙人，就是因为被人称为驴鸣镇人，而去拼命。如前所述，我觉得自己住在驴鸣楼里，但不想为此和人拼命。

我总想提醒大家一句，人在歌唱时听不到自己的声音。在卡拉 OK 时，面对五彩画面觉得挺美时，也许发出的全不类人声。茶余酒后，想过把歌星瘾时，也可以唱唱。但干这种勾当，最好在歌厅酒楼等吵不着人的地方；就是嗓子好，也请把嗓门放低些，留点余地——别给餐厅留下“驴鸣餐厅”的恶名。

从 Internet 说起

我的电脑还没联网，也想过要和 Internet 联上。据说，网上黄毒泛滥，还有些反动的东西在传播，这些说法把我吓住了。前些时候有人建议对网络加以限制，我很赞成。说实在的，哪能容许信息自由地传播。但假如我对这件事还有点了解，我要说：除了一剪子剪掉，没有什么限制的方法。那东西太快，太邪门了。现代社会信息爆炸，想要审查太困难，不如禁止方便。假如我做生意，或者搞科技，没有网络会有些困难。但我何必为商人、工程师们操心？在信息高速网上，海量的信息在流动。但是我，一个爬格子的，不知道它们也能行。所以，把 Internet 剪掉吧，省得我听了心烦。

Internet 是传输信息的工具。还有处理信息的工具，就是各种个人电脑。你想想看，没有电脑，有网也接不上。再说，磁盘、光盘也足以贩黄。必须禁掉电脑，这才是治本。这回我可有点舍不得——大约十年前，我就买了一台个人电脑。到现在换到了第五台。花钱不说，还下了很多工夫，现在用的软件都是我自己写的。我用它写文章，做科学工作：算题，做统计——顺便说一句，用电脑来做统计是种幸福，没有电脑，统计工作是种巨大的痛苦。但是它不学好，贩起黄毒来了，这可是它自己作死，别人救不了它。看在十年老交情上，我为它说几句好话：早期的电脑是无害的。那种空调机似的庞然大物算起题来嘎嘎作响，没有能力演示黄毒。后来的486、586才是有罪的：这些机器硬件能力突飞猛进，既能干好事，也能干坏事，把它禁了吧……但现在要买过时的电脑，不一定能买到。为此，可以要求IBM给我们重开生产线，制造早期的PC机。洋鬼子听了瞪眼，说：你们是不是有毛病？回答应该是：我们没毛病，你才有毛病——但要防止他把我们的商务代表送进疯人院。当然，如果决定了禁掉一切电脑，我也能对付。我可以用纸笔写作，要算统计时就打算盘。不会打算盘的可以捡冰棍棍儿计数——满地捡棍儿是有点难看，但是——谢天谢地，我现在很少做统计了。

除了电脑，电影电视也在散布不良信息。在这方面，我的态度是坚定的：我赞成严加管理。首先，外国的影视作品与国情不符，应该通通禁掉。其次，国内的影视从业人员良莠不齐，做出的作品也多有不好的……我是写小说的，与影视无缘，只不过是挣点小钱。王朔、冯小刚，还有大批的影星们，学历都不如我，搞出的东西我也看不入眼，但他们可都发大财了。应该严格审查——话又说回来，把 Internet 上的通讯逐页看过才放行，这是办不到的；一百二十集的连续剧从头看到尾也不大容易。倒不如通通禁掉算了。“文化大革命”十年，只看八个样板戏不也活过来了嘛。我可不像年轻人，声、光、电、影一样都少不了。我有本书看看就行了。说来说去，我把流行音乐漏掉了。这种乌七八糟的东西，应该首先禁掉。年轻人没有事，可以多搞些体育锻炼，既陶冶了性情，又锻炼了身体……

这样禁来禁去，总有一天禁到我身上。我的小说内容健康，但让我逐行说明每一句都是良好的信息，我也做不到。再说，到那时我已经吓傻了，哪有精神给自己辩护。电影电视都能禁，为什么不能禁小说？我们爱读书，还有不识字的人呢，他们准赞成禁书。好吧，我不写作了，到车站上去扛大包。我的身体很好，能当搬运工。别的作家未必扛得动大包……

我赞成对生活空间加以压缩，只要压不到我。但压来压去，结果却出乎我的想象。

海明威在《丧钟为谁而鸣》里说过这个意思：所有的人是一个整体，别人的不幸就是你的不幸。所以，不要以为丧钟是为谁而鸣——它就是为你而鸣。但这个想法我觉得陌生，我就盼着别人倒霉。五十多年前，有个德国的新教牧师说：起初，他们抓共产党员，我不说话，因为我不是工会会员；

后来，他们抓犹太人，我不说话，因为我是雅利安人；后来，他们抓天主教徒，我不说话，因为我是新教徒……最后他们来抓我，已经没人能为我说话了。众所周知，这里不是纳粹德国，我也不是新教牧师。所以，这些话我也不想记住。

我对国产片的看法

我很少出去看电影。近来在电影院看过的国产片子，大概只有《红粉》。在《红粉》这部片子里，一个嫖客、两个妓女，生离死别，演出多少悲壮的故事，看了让人起鸡皮疙瘩。由此回想起十多年前看过的一部国产片《庐山恋》，男女主人公在庐山上谈恋爱，狂呼滥喊："I love my motherland!"有如董存瑞炸碉堡。不知别人怎么看，我的感觉是不够妥当。这种不妥当的片子多得不计其数，恕我不一一列举。

作家纳博科夫曾说，一流的读者不是天生的，他是培养出来的。《庐山恋》还评上了奖，这大概是因为编导对观众的培养之功，但是这样的观众恐怕不能算是一流的。所以我们可以改改纳博科夫的话：三流的影视观众不是天生的，他也是培养出来的。作为欣赏者，我们开头都是二流水平，只有经过了培养，才会特别好或是特别坏。在坏的方面我可以举个例子，最近几年，中央台常演一些历史题材的连续剧，片子一上电视，编导就透过各种媒体说：这部片子的人物、情节、器具、歌舞，我们都是考证过的。我觉得这很没意思。可怪的是，每演这种电视片，报纸上就充满了观众来信，对人物年代作些烦琐考证，我也觉得挺没劲。似乎电视片的编导已经把观众都培养成了考据迷。当然，也有个把漏网之鱼，笔者就是其中之一。但就一般来说，影视的编导就是墨索里尼，总是有理。凭良心说，现在的情况不算坏。“文化大革命”里人们只看八个样板戏，也没人说不好。在那些年月里，培养出了一些只会欣赏样板戏的观众。在现在年月里，也培养了一批只会考证的观众。说到国产片的现状，应该把编导对观众的培养考虑在内。

作为一条漏网之鱼，我对电影电视有些不同的看法：我想从上面欣赏一些叫作艺术的东西。从这个意义上说，国产片的一些编导犯下了双重罪孽：其一，自己不妥当；其二，把观众也培养得不妥当。不过这种情况已经发生了变化：近年来，中国电影也取得了一些成就，有些片子还在国际上得了奖。我认为这些片子是好的，但也有点疑问：怎么都这么惨咧咧、苦兮兮的？《霸王别姬》里剁下了一根手指头，《红高粱》里扒下了一张人皮。我们国家最好的导演，对人类的身体都充满了仇恨。单个艺术家有什么风格都可以，但说到群体，就该有另一种标准。打个比方来说，我以为英国文学是好的，自莎士比亚以降，名家辈出，内中有位哈代先生，写出的小说惨绝人寰——但他的小说也是好的。倘若英国作家自莎士比亚以降全是哈代的风格，那就该有另一种评价：英国文学是有毛病的。最近《辛德勒的名单》大获成功，我听说有位大导演说：这正是我们的戏路！我们也可以拍这种表现民族苦难的片子。以我之见，按照我们的戏路，这种片子是拍不出来的。除非把活做到银幕之外，请影院工作人员扮成日本兵，手擎染血的假刺刀，随着剧情的进展，来捅我们的肚皮。当然，假如上演这样的片子，剧院外面该挂个牌子：为了下一代，孕妇免进。话虽如此说，我仍然以为张艺谋、陈凯歌不同凡响。不同凡响的证明就是：他们征服了外国的观众，而外国的观众还没有经过中国编导的培养。假如中国故事片真正走向了世界，情况还不知是怎样。

莫泊桑曾说，提笔为文，就想到了读者。有些读者说：请让我笑吧。有些读者说：请让我哭吧。有些读者说：请让我感动吧……在中国，有些读者会说，请让我们受教育吧。我举这个例子，当然是想用莫泊桑和读者，来比喻影视编导与观众。敏感的读者肯定能发现其中的可笑之处：作品培养了观众的口味，观众的口味再来影响作者，像这样颠过来、倒过去，肯定是很没劲。特别是，假如编导不妥当，就会使观众不妥当；观众又要求编导不妥当，这样下去大家都越来越不妥当。作为前辈大师，莫泊桑当然知道这是个陷阱，所以他不往里面跳。他说：只有少数出类拔萃的读者才会要求，请凭着你的本心，写出真正好的东西来。他就为这些读者而写。我也想做一个出类拔萃的观众，所以也这样要求：请凭着你的本心去拍片——但是，别再扒人皮了，这样下去有点不妥当。对于已经不妥当的编导，就不知说些什么——也许，该说点题外之语。我在影视圈里也有个把朋友，知道拍片子难：上面要审本子审片，这是一。找钱难，这是二。还有三和四，就没必要一一列举，其中肯定有一条：观众水平低。不过，我不知该怪谁。这只是一时一地的困境，而艺术是永恒的。此时此地，讲这些就如疯话一般。但我偏还觉得自己是一本正经的。

（本篇最初发表于 1995 年第十期《演艺圈》杂志）

明星与癫狂

笔者在海外留学时，有一次清早起来跑步，见到一些人带着睡袋在街头露宿。经询问，是大影星埃迪·墨菲要到这座城市来巡回演出，影迷在等着买票。墨菲的片子我看过几部，觉得他演得不坏。但花几十块钱买一张票到体育馆里看他，我觉得无此必要，所以没有加入购票的行列，而是继续跑步，这样我就在明星崇拜的面前当了一回冷血动物——坦白地说，我一直是这样的冷血动物。顺便说一句，那座城市不大，倒有个很大的体育馆，所以票是富裕的，白天也能买到，根本用不着等一夜。而且那些人根本不是去等买票，而是终夜喝啤酒、放音乐、吵闹不休，最安静的人也在不停地咯咯傻笑，搞得邻居很有意见。凭良心说，正常人不该是这个样子。至于他们进了体育馆，见到了墨菲之后，闹得就更厉害，险些把体育馆炸掉了。所以我觉得他们排队买票时是在酝酿情绪，以便晚上纵情地闹。此种情况说明，影迷（或称追星族）是有计划、有预谋地把自己置于一场癫狂之中。这种现象并不少见，每有美式足球比赛，或是摇滚歌星的演唱会，就会有人做出这种计划和预谋。当时我很想给埃迪·墨菲写封信，告诉他这些人没见到他时就疯掉了，以免他觉得这么多人都是他弄疯的，受到良心的责备。后来一想，这事他准是知道的，所以就没有写。

现在我回到国内，翻开报纸的副刊，总能看到有关明星的新闻：谁和谁拍拖，谁和谁分手了，等等。明星做生意总能挣大钱，写本书也肯定畅销。明星的手稿还没有写出来就可以卖到几百万元，真让笔者羡慕不已。至于那文章，我认为写得真不怎么样——不能和我崇拜的作家，也不能和我相比。在电视上可以看到影星唱歌，我觉得唱得实在糟——起码不能和帕瓦罗蒂相比（比我唱得当然要稍好一些，但在歌唱方面，笔者绝不是个正面的榜样），但也有人鼓掌。房地产的开发商把昂贵的别墅送给影星，她赏个面子收下了，但绝不去住，开发商还觉得是莫大的荣耀。最古怪的是在万人会场里挤满了人，等某位明星上台去讲几句话，然后就疯狂地鼓掌。这使我想起了“文革”初的某些场景。我相信，假如有位明星跑到医院去，穿上白大褂，要客串一下外科医生的角色，肯定会有影迷把身体献上任她宰割，而且要求不打麻药；假如跳上民航的客机要求客串机长，飞机上肯定挤满了把生死置之度外的影迷，至于她自己肯不肯拿自己的生命来冒险，则是另一个问题。总而言之，在我们这个社会里，也开始出现了针对明星的癫狂，表面上没有美国闹得厉害，实际上更疯得没底。这种现象使我陷入了沉思之中。

我认为明星崇拜是一种癫狂症，病根不在明星身上，而是在追星族身上。理由很简单：明星不过是一百斤左右的血肉之躯，体内不可能有那么多有害的物质，散发出来时，可以让数万人发狂。所以是追星族自己要癫狂。追星族为什么要癫狂不是我的题目，因为我不是米歇尔·福柯。但我相信他的说法：正常人和疯子的界线不是那么清楚。笔者四十余岁，年轻时和同龄人一样，发过一种癫狂症，既毁东西又伤人，比追星还要有害。所以，有点癫狂不算有病，这种癫狂没了控制才是有病。总的来说，我不反对这件事，因为人既有这样一股疯劲，把它发泄掉总比郁积着好。在周末花几十元买一张票，把脑子放在家里，到体育馆里疯上一阵，回来把脑子装上，再去上班，就如脱掉衣服洗个热水澡，或许会对身心健康有某种好处，也未可知。我既然不反对这种癫狂，也就不会反对这种癫狂的商业利用（叫作“明星制”吧？）。大众有这种需求，片商或穴头来操办，赚些钱，也算是公道。至于明星本人，在这些癫狂的场合出现，更没有任何可责备的地方。我所反对的，只是对这件事的误解。虽然有这种癫狂，大家并没有疯，这一点很重要。

如前所述，追星族常常有计划、有预谋地发一场癫狂，何时何地发作、发多久、发到什么程度、为此花费多少代价，都该由那些人自己来决定。倘若明星觉得自己可以控制这些人的癫狂，肯定是个不合理的想法，因为他把影迷当成了真的疯子。据报载，我国一位女影星晾台，涮了四川上万影迷，这些影迷有点发火了，这位女影星却说这些影迷不懂什么叫作明星制，还举了迈克尔·杰克逊为例，说这位男歌星涮了新加坡无数的歌迷，那些歌迷还觉得蛮开心云云。我以为女影星的说法是不对的。四川的影迷虽然没有新加坡的歌迷迷得那么凶，但迷到何种程度该由那些人自己来决定。倘若由你决定他们该达到哪个程度，人家就迷到什么程度，有这种想法就不正常。几年前就从报上看到有位男明星开车撞了人，不但不道歉，反要把受害者打一顿。显然，该男明星把受害者看作追星的影迷，觉得他该心甘情愿地挨顿揍，但后者有不同的看法，把他揪到警察那里去了。总而言之，用晾和揍的方法，让大家领略明星制的深奥，恐非正常人所为。最后的结论是：追星族不用我们操心，倒是明星，应该注意心理健康。最后再来说点题外之语。国外对待影星的态度有两重性：既有冷静地欣赏其表演的一面，也有追星起哄的一面。大影星同时也是优秀的演员，演出了一些经典的艺术片。好莱坞的影业也玩闹起哄，但恐怕另有些正经的。他是个有城府的拳师，会耍花拳绣腿；但也另有真招，不让你看到。鉴于这种情形，我怀疑所谓“明星制”，是帝国主义者打过来的一颗阴险的糖衣炮弹——当然我也没有任何凭据，只是胡乱猜测——香港的影业已经中弹了。你别看它现在红火，群星灿烂，但早晚要被好莱坞吃掉。不信你就拿两地的片子比比看。至于在内地，首批中弹的是演员。现在有明星，但没有出色的表演，更没有可以成为经典的艺术片。假如我没理解错，这些明星还拿玩闹起哄当了真，当真以为自己是些超人。这个游戏玩到此种程度，已经过了，应该回头了。

（本篇最初发表于 1995 年第十一期《演艺圈》杂志）

为什么要老片新拍

听说最近影视圈里兴起了一阵重拍旧片的浪潮，把一批旧电影重拍成电视连续剧。其中包括《敌后武工队》《平原枪声》《铁道游击队》，等等。现在《野火春风斗古城》已经拍了出来，正在电视上演着。我看了几眼，虽然不能说全无优点，但也没什么新意。联想到前不久看到一些忠实于原著的历史剧，我怀疑一些电视剧编导正在走一条程式化的老路，正向传统京剧的方向发展。笔者绝不是京剧迷，但认识一位京剧迷。二十年前我当学徒工时，有位老师傅告诉我说，在老北平，他每天晚上都到戏园子坐坐。一出《长坂坡》不知看了多少遍，“谁的赵云”他都看过。对此需要详加解释：过去所有的武生大概都在《长坂坡》里演过赵云，而我师傅则看过一切武生演的赵云。因为还不是所有的男演员都演过杨晓冬，也不是所有的女演员都演过银环，现在我们还不能说谁的杨晓冬、谁的银环都看过。但是事情正朝这个方向发展，因为杨晓冬和银环正在多起来。而且我们也不妨未雨绸缪，把这件事提前说上一说。

老实说，老片新拍（或者老戏重拍）不是什么新鲜事。我在美国时看过一部《疤脸人》，是大明星阿尔·帕西诺主演的彩色片。片尾忽然冒出一个字幕：以前有过一部电影《疤脸人》，然后就演了旧《疤脸人》的几个片段。从这几个片段就可以看出，虽然新旧《疤脸人》是同一个故事，但不是同一部电影。我们还知道影片《乱》翻新了莎翁的名剧，至于《战争与和平》，不知被重拍了多少遍。一个导演对老故事有了崭新的体会，就可以重拍，保证观众有一个全新的《疤脸人》或《战争与和平》就是，而且这也是对过去导演的挑战。必须指出，就是这样的老戏重拍，我也不喜欢。但这种老片重拍和我们看到的连续剧还不是一回事。我看到的《野火春风斗古城》，不仅忠实于小说原著，而且也忠实于老的黑白片，观后感就是让我把早已熟悉的东西过上一遍——就如我师傅每晚在戏园子里把《长坂坡》过一遍。前些时候有些历史连续剧，也是把旧小说搬上荧屏，也是让大家把旧有的东西过一遍。同是过一遍，现在的连续剧和传统京剧不能比。众所周知，京剧是高度完美的程式化表演。连续剧里程式是有的，完美则说不上。

我认为，现在中国人里有两种不同的欣赏趣味。一种是旧的，在传统社会和传统戏剧影响下形成的，那就是只喜欢重温旧的东西；另一种是新的，受现代影视影响形成的，只喜欢欣赏新东西。按前一种趣味来看现在的连续剧，大体上还能满意，只是觉得它程式化的程度不够。举例来说，现在连续剧里的银环，和老电影里的银环，长相不一样，表演也不一样，这就使人糊涂。最好勾勾脸，按同一种程式来表演。当然，既已有了程式，编导就是多余的。传统的京剧班子里就没有编导的地位。不过，养几个闲人观众也不反对。若按后一种趣味来看连续剧，就会说：这叫什么？照抄些旧东西，难道编导的艺术工作就是这样的吗？但后一种观众是需要编导的，只是嫌他没把工作做好。总而言之，老戏新拍使编导处于一种两面不讨好的尴尬地位：前一种观众要你的戏，但不要你这个人；后一种观众要你这个人，但不要你的戏。换言之，在前一种观众面前，你是尸位素餐地鬼混着；在后一种观众面前，你是不称职或不敬业的编导。照我看来，老戏重拍真是不必要。我有一个做导演的朋友，他告诉我说：你不知道做编导的苦处，好多事都是不得已而为之。他这样一说，我倒是明白了。

（本篇最初发表于1995年第十二期《演艺圈》杂志）

商业片与艺术片

去年，好莱坞十部大片在中国上演，引起了一场不大不小的轰动。这类片子我在美国时看了不少，但我远不是个电影迷。初到美国时英文不好，看电影来学习英文——除了在电影院看，还租带子，在有线电视上看，前后看了大约也有上千部。片子看多了，就能分出好坏来。但我是个中国的知识分子，既不买好莱坞电影俗套的账，也不吃美国文化那一套，评判电影另有一套标准。实际上，世界上所有的文化人评判美国电影，标准都和我差不多。用这个标准来看这十部大片，就是一些不错的商业片，谈不上好。美国电影里有一些真好的艺术片，可不是这个样子。

作为一个文化人，我认为好莱坞商业片最让人倒胃之处是落俗套。五六十年代的电影来不来的张嘴就唱，抬腿就跳，唱的是没调的歌，跳的是狗撒尿式的踢踏舞。我在好莱坞电影里看到男女主人公一张嘴或一抬腿，马上浑身起鸡皮疙瘩、抖作一团。你可能没有同样的反应，那是因为没有我看得多。到了七十年代，西部片大行其道，无非是一个牛仔拔枪就打，全部情节就如我一位美国同学概括的：kill everybody——把所有的人都杀了。等到观众看到牛仔、左轮手枪就讨厌，才换上现在最大的俗套，也就是我们正在看的：炸房子，摔汽车，一直要演到你一看到爆炸就起鸡皮疙瘩，才会换点别的。除了爆炸，还有很多别的俗套。说实在的，我真有点佩服美国片商炮制俗套时那种恬不知耻的劲头。举个例子，有部美国片子《洛基》，起初是部艺术片，讲一个穷移民，生活就如一潭死水——那叙事的风格就像怪腔怪调的布鲁斯，非常地道。有个拳王挑对手，一下挑到他头上，这是因为他的名字叫“洛基”，在英文的意思里是“禁揍”……这电影可能你已经看过了，怪七怪八的，很有点意思。我对它评价不低。假如只拍一集，它会给人留下很好的印象，别人也爱看。无奈有些傻瓜喜欢看电影里揍人的镜头，就有混账片商把它一集集地拍了下去，除了揍人和挨揍，一点别的都没了。我离开美国时好像已经拍到了《洛基七》或者《洛基八》，弄到了这个地步，就不是电影，根本就是大粪。好莱坞商业片看多了，就会联想到《镜花缘》里的直肠国。那里的人消化功能差，一顿饭吃下去，从下面出来，还是一顿饭。为了避免浪费，只好再吃一遍（再次吃下去之前，可能会回回锅，加点香油、味精）。直到三遍五遍，饭不像饭而像粪时，才换上新饭。这个比方多少有点恶心，但我想不到更好的比方了。好莱坞的片商就是直肠国的厨师，美国观众就是直肠国的食客。顺便说一句，国产电影里也有俗套，而且我们早就看腻了……这个话题就到此为止，以免大家恶心。说句公道话，这十部大片有不少长处，特技很出色，演员也演得好，虽然说到头来，也就是些商业俗套，但中国观众才吃第一遍，感觉还很好，总得再看上一些才能觉得味道不对头。

我说过，美国也有好的艺术片。比方说，沃伦·比提年轻时自己当制片、自己主演的片子就很好。其中有一部《赤色分子》，中国的观众就算没看过，大概也有耳闻。再比方说伍迪·艾伦的影片，从早年的 Banana（《傻瓜》），到后来的《汉娜姐妹》，都很好。艺术片和商业片的区别就在于不是俗套。谁能说《末代皇帝》是俗套？谁能说《美国往事》是俗套？美国出产真正的艺术片并不少，只是与大量出产的商业片比，显得少一点而已。然而就是这少量的电影，才是美国电影真正生命之所在。美国搞电影的人自己都说，除了少量艺术精品，好莱坞生产垃圾。制造垃圾的理由是：垃圾能卖钱，精品不卖钱。《美国往事》《末代皇帝》从筹划到拍成，都是好几年。要总是这样拍电影，片商只好去跳楼……

既然艺术片不赚钱，怎么美国人还在拍艺术片？这是最有意思的问题。我以为，没有好的艺术片，就没有好的商业片。好东西翻炒几道才成了俗套，文化垃圾恰恰是精品的碎片。要是没人搞真正的艺术电影，好莱坞现在肯定还在跳狗撒尿的踢踏舞，让最鲁钝、最没品位的电影观众看了也大发疟疾。无论如何，真正的艺术才是世界上最好的东西。我对去年引进十部大片很赞成，因为前年连这样的十部大片都没有。但我觉得自今年起，就该有点艺术片。除此之外，眼睛也别光盯着好莱坞。据我所知，美国一些独立制片人的片子相当好，欧洲的电影就更好。只看好莱坞商业片，是会把人看笨的。

（本篇最初发表于 1996 年第四期《演艺圈》杂志）

电影·韭菜·旧报纸

看来，国产电影又要进入一个重视宣传教育的时期。我国电影的从业人员，必须做好艰苦奋斗的思想准备——这是我们的光荣传统。七十年代中期，我在北京的街道工厂当工人，经常看电影，从没花钱买过电影票，都是上面发票。从理论上说，电影票是工会买的。但工会的钱又从哪里来？我们每月只交五分钱的会费。这些钱归根结底是国家出的。严格地说，当时的电影没有票房价值，国家出钱养电影。今后可能也是这样。正如大家常说的，国家也不宽裕，电影工作者不能期望过高。这些都是正经话。

国家出钱让大家看电影，就是为了宣传和教育。坦白地说，这些电影我没怎么看。七四年、七五年我闲着没事，还去看过几次，到了七七、七八年，我一场电影都没看。那时期我在复习功课考大学，每分钟都很宝贵。除我以外，别的青工也不肯去看，有人要打家具，准备结婚，有人在谈朋友。总之，大家都忙。年轻人都让老师傅去看，但我们厂的师傅女的居多，她们说，电影院里太黑，没法打毛衣——虽然摸着黑也可以打毛衣，但师傅们说：还没学会这种本领。其结果就是，我们厂上午发的电影票，下午都到了字纸篓里。我想说的是，电影要收到宣传教育的结果，必须有人看才成，这可是个严肃的问题。除了编导想办法，别人也要帮着想办法。根据我的切身经历，我有如下建议：假如放映工会包场，电影院里应该有适当的照明，使女工可以一面看电影，一面打毛衣，这样就能把人留在场里。

当然，电影的宣传教育功能不光体现在城市，还体现在广阔的农村，在这方面我又有切身体验。七十年代初，我在云南插队。在那个地方，电影绝不缺少观众。任何电影都有人看，包括《新闻简报》。但你也不要想到票房收入上去。有观众，没票房，这倒不是因为观众不肯掏钱买票，而是因为他们根本就没有钱。

我觉得在农村放电影，更能体现电影的宣传、教育功能。打个比方说，在城市的电影院放电影，因为卖票，就像是职业体育；在农村放电影，就像业余体育。业余体育更符合奥林匹克精神。但是干这种事必须敬业，有献身精神——为此，我提醒电影工作者要艰苦奋斗，放电影的人尤其要有这种精神。我插队时净和放映员打交道，很了解这件事情。那时候我在队里赶牛车，旱季里，隔上十天半月，总要去接一次放映员，和他们搞得很熟……

有一位心宽体胖的师傅分管我们队，他很健谈，可惜我把他的名字忘掉了。我不光接他，还要接他的设备。这些设备里不光有放映机，还有盛在一个铁箱里的汽油发电机。这样他就不用使脚踏机来发电了。赶着牛车往回走时，我对他的工作表示羡慕：想想看，他不用下大田，免了风吹日晒，又有机器可用，省掉了自己的腿，岂不是轻省得很。但是他说，我说得太轻巧，不知道放映员担多大责任。别的不说，片子演到银幕上，万一大头朝下，就能吓出一头冷汗。假如银幕上有伟大领袖在内，就只好当众下跪，左右开弓扇自己的嘴巴，请求全体革命群众的原谅。原谅了还好，要是不原谅，捅了上去，还得住班房——这种事情是有的，而且时常发生。也不知为什么，放映员越怕，就越要出这种事。他说放电影还不如下大田。这是特殊年代里的特殊事件，没有什么普遍意义。但他还说：宣传工作不好干——这就有普遍意义了。就拿放电影来说吧，假如你放商业片，放坏了，是你不敬业；假如这片子有政治意义，放坏了，除了不敬业，还要加一条政治问题。放电影的是这样，拍电影的更是这样。这问题很明白，我就不多说了。

越不好干的工作，就越是要干，应该有这种精神。我接的这位师傅就是这样。他给我们放电影，既没有报酬，更谈不上红包。我们只管他的饭，就在我们的食堂里吃。这件事说起来很崇高，实际上没这么崇高。我所在的地方是个国营农场，他是农场电影队的，大家同在一个系统，没什么客套。走着走着，他问起我们队的伙食怎样。这可不是瞎问：我们虽是农场，却什么家当都没有，用两只手种地，自己种自己吃，和农民没两样。那时候地种得很坏，我就坦白地说，伙食很糟。种了一些花生，遭了病害，通通死光，已经一年没油吃。他问我有没有菜吃，我说有。他说，这还好。有的队菜地遭了灾，连菜都没有，只能拿豆汤当菜。他已经吃了好几顿豆汤，不想再吃了。我们那里有个很坏的风气，叫作看人下菜碟。首长下来视察就不必说了，就是兽医来阉牛，也会给他煎个荷包蛋。就是放映员来了，什么招待也没有。我也不知是为什么。

我讲这个故事，是想要说明，搞电影工作要艰苦奋斗。没报酬不叫艰苦奋斗，没油吃不叫艰苦奋斗，真正的艰苦马上就要讲到。回到队里，帮他卸下东西，我就去厨房——除了赶牛车，我还要帮厨。那天和往常一样，吃凉拌韭菜。因为没有油，只有这种吃法。我到厨房时，这道菜已经炮制好了，我就给帮着打饭打菜。那位熟悉的放映员来时，我还狠狠地给了他两勺韭菜，让他多吃一些。然后我也收拾家什，准备收摊。就在这时，放映员仁兄从外面猛冲了进来，右手扼住了自己的脖子，舌头还拖出半截，和吊死鬼一般无二。当然，他还有左手。这只手举着饭盆让我看——韭菜里有一块旧报纸。照我看这也没有什么。他问我：韭菜洗了没有？我说洗大概是洗了的，但不能保证洗得仔细。但他又问：你们队的韭菜是不是用大粪来浇？我说：大概也不会用别的东西来浇……然后才想了起来，这大概是队部的旧报纸。旧报纸上只要没有宝像，就有人扯去方便用，报纸就和粪到了一起——这样一想，我也觉得恶心起来，这顿韭菜我也没吃。可钦可佩的是，这位仁兄干唠了一阵，又去放电影了。以后再到了我们队放电影，都是自己带饭，有时来不及带饭，就站在风口处，张大嘴巴说道：我喝点西北风就饱了——他还有点幽默感。需要说明的是，洗韭菜的不是我，假如是我洗的，让我不得好死。这些事是我亲眼所见，放映员同志提心吊胆，在韭菜里吃出纸头，喝着西北风，这就是艰苦奋斗的故事。相比之下，今天的电影院经理，一门心思地只想放商业片，追求经济效益，不把社会效益、宣传工作放在心上，岂不可耻！但话又说回来，光喝西北风怎么饱肚，这还需要认真研究。

（本篇最初发表于1996年第十八期《三联生活周刊》杂志）

旧片重温

我小时看过的旧片中，有一部对我有特殊意义，是《北国江南》。当时我正上到小学高年级，是学校组织去看的。这是一部农村题材的电影，由秦怡女士主演。我记得她在那部电影里面瞎了眼睛，还记得那部电影惨咧咧的，一点都不好看——当然，这是说电影，不是说秦怡，秦女士一直是很好看的——别的一点都记不得。说实在的，小男孩只爱看打仗的电影，我能在影院里坐到散场，就属难能可贵。这部电影的特殊之处在于：我去看时还没有问题，看过之后就出了问题——阶级斗争问题和路线斗争问题。这种问题我一点都没看出来，说明我的阶级觉悟和路线觉悟都很低。这件事引起了我的警惕，同时也想到，电影不能单单当电影来看，而是要当谜语来猜，谜底就是它问题何在。当然，像这种电影后来还有不少，但这是第一部，所以我牢牢记住了这个片名：《北国江南》。但它实在不对我胃口，所以没有记住内容。

和我同龄的人会记得，电影开始出问题，是在六十年代中期，准确地说，是一九六五年以后。在此之前也出过，比方说，电影《武训传》，但那时我太小。六五年我十三岁，在这个年龄发生的事对我们一生都有影响。现在还有人把电影当谜语猜，说每部片子都有种种毛病。我总是看不出来，也可能我这个人比较鲁钝，但是必须承认，六五年、六六年那些谜语实在是难猜。

举例来说，有一部喜剧片《龙马精神》，说到有一匹瘦马，“脊梁比刀子快，屁股比锥子快，躺下比起来快”。这匹马到了生产队的饲养员大叔手里，就被养得很肥。这部电影的问题是：这匹马起初怎么如此的瘦，这岂不是给集体经济抹黑？这个谜底就大出我的意料。从道理上讲，饲养员大叔把瘦马养肥了，才说明他热爱集体。假如马原来就胖，再把它喂得像一口超级肥猪，走起来就喘，倒不一定是关心集体。但是《龙马精神》还是被枪毙掉了。

再比方说，电影《海鹰》，我没看出问题来。但人家还是给它定了罪状。这电影中有个镜头，一位女民兵连长（王晓棠女士饰）登上了丈夫（一位海军军官）开的吉普车，扬尘而去。人家说，这女人不像民兵连长，简直像吉普女郎。所谓吉普女郎，是指解放前和美国兵泡的不正经的女人。说实在的，一般电影观众，除非本人当过吉普女郎，很难看出这种意思来。所以，我没看出这问题，也算是情有可原。

几乎所有的电影都被猜出了问题，但没有一条是我能看出来的。最后只剩下了“三战一哈”还能演。三战是《地道战》《地雷战》《南征北战》，大多不是文艺片，是军事教育片。这“一哈”是有关一位当时客居我国的亲王的新闻片，这位亲王带着他的夫人，一位风姿绰约的公主，在我国各地游览，片子是彩色的，蛮好看，上点年纪的读者可能还记得。除此之外，就是《新闻简报》，这是黑白片，内容千篇一律，一点不好看。有一个流行于七十年代的顺口溜，对各国电影做出了概括：朝鲜电影，又哭又笑；日本电影，内部卖票；罗马尼亚电影，莫名其妙；中国电影，《新闻简报》。这个概括是不正确的，起码对我国概括得不正确。当时的中国电影，除《新闻简报》，还剩了点别的。

这篇文章是从把电影当谜语来猜说起的。在六十年代末七十年代初，大多数的电影都被指出隐含了反动的寓意，枪毙实在是罪有应得。然后开始猜书。书的数量较多，有点猜不过来，但最后大多也有了结论：通通是毒草——红宝书例外。然后就猜人。好好一个人，看来没有毛病，但也被人找出谜底来：不是大叛徒，就是大特务，一个个被关进了牛棚。没被关进去的大都不值得一猜，比方说，我，一个十四五岁的中学生，关我就没啥意思，但我绝不认为自己身上就猜不出什么来。到了这个程度，似乎没有可猜的了吧？但人总能找出事干，这时就猜一切比较复杂的图案。有一种河南出产的香烟“黄金叶”，商标是一张烟叶，叶子上脉络纵横，花里胡哨。红卫兵从这张烟叶上看出有十几条反动标语，还有蒋介石的头像。我找来一张“黄金叶”的烟盒，对着它端详起来，横着看、竖着看，一条也没看出来。不知不觉，大白天的落了枕，疼痛难当，脖子歪了好几个月。好在年龄小，还能正过来。

到了这时，我终于得出一个结论：这种胡乱猜疑，实在是扯淡得很。这是个普遍猜疑的年代，没都能猜出有来。任何一种东西，只要足够复杂，其中有些难以解释的东西，就被往坏里猜。电影这种产品，信息含量很高，就算是最单纯的电影，所包含的信息也多过“黄金叶”的图案，想要没毛病，根本就不可能。所以，你要是听说某部电影有了问题，千万不要诧异。我们这代人，在猜疑的年代长大，难免会落下毛病，想从鸡蛋里挑出骨头，这样才显出自己能来，这是很不好的。但你若说，我这篇短文隐含了某些用意，我要承认，你说对了，不是胡乱猜疑。

（本篇最初发表于1996年6月7日《戏剧电影报》，发表时题目为“从《北国江南》说起”。）

欣赏经典

有个美国外交官，二三十年代在莫斯科待了十年。他在回忆录里写道：他看过三百遍《天鹅湖》。即使在芭蕾舞剧中《天鹅湖》是无可争辩的经典之作，看三百遍也太多了。但身为外交官，有些应酬是推不掉的，所以这个戏他只能一遍又一遍地看，看到后来很有点吃不消。我猜想，头几十次去看《天鹅湖》，这个美国人听到的是柴可夫斯基优美的音乐，看到的是前苏联艺术家优美的表演，此人认真地欣赏着，不时热烈地鼓掌。看到一百遍之后，观感就会有所不同，此时他只能听到一些乐器在响着，看到一些人在舞台上跑动，自己也变成木木痴痴的了。看到二百遍之后，观感又会有所不同。音乐一响，大幕拉开，他眼前是一片白色的虚空——他被这个戏魇住了。此时他两眼发直，脸上挂着呆滞的傻笑，像一条冬眠的鳄鱼——松弛的肌肉支持不住下巴，就像冲上沙滩的登陆艇那样，他的嘴打开了，大滴大滴的哈喇子从嘴角滚落，掉在膝头。就这样如痴如醉，直到全剧演完，演员谢幕已毕，有人把舞台的电闸拉掉，他才觉得眼前一黑。这时他赶紧一个大嘴巴把自己打醒，回家去了。后来他拿到调令离开前苏联时，如释重负地说道：这回可好了，可以不看《天鹅湖》了。

如你所知，该外交官看《天鹅湖》的情形都是我的猜测——说实在的，他流了哈喇子也不会写进回忆录里——但我以为，对一部作品不停地欣赏下去，就会遇到这三个阶段。在第一个阶段，你听到的是音乐，看到的是舞蹈——简言之，你是在欣赏艺术。在第二个阶段，你听到一些声音，看到一些物体在移动，觉察到了一个熟悉的物理过程。在第三个阶段，你已经上升到了哲学的高度，最终体会到芭蕾舞和世间一切事物一样，不过是物质存在的形式而已。从艺术到科学再到哲学，这是个返璞归真的过程。一般人的欣赏总停留在第一阶段，但有些人的欣赏能达到第二阶段。比方说，在电影《霸王别姬》里，葛优扮演的戏霸就是这样责备一位演员："别人的霸王出台都走六步，你怎么走了四步？"在实验室里，一位物理学家也会这样大惑不解地问一个物体：别的东西在真空里下落，加速度都是一个 g，你怎么会是两个 g？在实验室里，物理过程要有再现性，否则就不成其为科学，所以不能有以两个 g 下落的物体。艺术上的经典作品也应有再现性，比方说《天鹅湖》，这个舞剧的内容是不能改变的。

这是为了让后人欣赏到前人创造的最好的东西。它只能照老样子一遍遍地演。

经典作品是好的，但看的次数不可太多。看的次数多了不能欣赏到艺术——就如《红楼梦》说饮茶：一杯为品，二杯是解渴的蠢物，三杯就是饮驴了。当然，不管是品还是饮驴，都不过是物质存在的方式而已，在这个方面，没有高低之分……

“文化大革命”里，我们只能看到八个样板戏。打开收音机是这些东西，看个电影也是这些东西。插队时，只要听到广播里音乐一响，不管轮到了沙奶奶还是李铁梅，我们张嘴就唱；不管是轮到了吴琼花还是洪常青，我们抬腿就跳。路边地头的水牛看到我们有此举动，怀疑对它有所不利，连忙扬起尾巴就逃。假如有人说我唱得跳得不够好，在感情上我还难以接受：这就是我的生活——换言之，是我存在的方式，我不过是嚷了一声，跳了一个高，有什么好不好的？打个比方来说，犁田的水牛在拔足狂奔时，总要把尾巴像面小旗子一样扬起来，从人的角度来看有点不雅，但它只会这种跑法。我在地头要活动一下筋骨，就是一个倒踢紫金冠——我就会这一种踢法，别的踢法我还不会哪。连这都要说不好，岂不是说，我该死掉？根据这种情形，我认为自己对八个样板戏的欣赏早已到了第三个阶段，我们是从哲学的高度来欣赏的，但这些戏的艺术成就如何，我确实是不知道。莫斯科歌舞剧院演出的《天鹅湖》的艺术水平如何，那位美国外交官也不会知道。你要是问他这个问题，他只会傻呵呵地笑着，你说好，他也说好；你说不好，他也说不好……

在一生的黄金时代里，我们没有欣赏到别的东西，只看了八个戏。现在有人说，这些戏都是伟大的作品，应该列入经典作品之列，以便流传到千秋万代。这对我倒是种安慰——如前所述，这些戏到底有多好我也不知道，你怎么说我就怎么信，但我也有点怀疑，怎么我碰到的全是经典？就说《红色娘子军》吧，作曲的杜鸣心先生显然是位优秀的作曲家，但他毕竟不是柴可夫斯基……芭蕾和京剧我不懂，但概率论我是懂的。这辈子碰上了八个戏，其中有两个是芭蕾舞剧，居然个个是经典，这种运气好得让人起疑。根据我的人生经验，假如你遇到一种可疑的说法，这种说法对自己又过于有利，这种说法准不对，因为它是编出来自己骗自己的。当然，你要说它们都是经典，我也无法反对，因为对这些戏我早就失去了评判能力。

（本篇最初发表于1996年第六期《华人文化世界》杂志）

电视与电脑病毒

在美国时看电视，有些日子闹神，有些日子闹鬼。假如你打开电视机，看到所有的人都在唱歌，那一天准是圣诞节。所有的人都在唱“静静的夜、神圣的夜”，有的频道上是乡村歌手，弹着吉他，有的频道是普普通通的一家人，围在炉边唱。还有的频道上甚至是帕瓦罗蒂本人，在一个大教堂里和一群唱诗班的童子一道，把所有该在这一天唱的歌都唱完才算完——看一天电视就可以把所有的宗教歌曲都听会。那一天是耶稣基督的诞生日。美国又是个基督教国家，我们外国人没什么可说的，倒是他们美国人自己在说：年年都是这一套，真是烦死了。美国人喜欢拿宗教开些玩笑，不是因为他们不虔诚，主要是因为老是这一套，他们觉得有点烦——好在一年就闹这一次。闹神的情况就是这样。还有的日子打开电视，满屏幕都是鬼。那些绿脸的鬼怪从坟里钻出来，龇着牙在街上走着，仿佛整个世界都是绿的——当然，那一天准是万圣节。对这一套老百姓早就烦死了，经常给报刊写信臭骂电视台，但他们就是不肯改。还有时屏幕上一片鲜红，有个面目狰狞的家伙手执大斧，在所有的频道上砍人，直砍到人头滚滚，血流成河。此时你怎么也想不起还有一个砍头节。找日历来看了才知道，那一天是十三号星期五，也就是黑色星期五。对于砍人头的电视片，多数美国人恨得要死，但电视台偏要放。他们的脑子被日历拘住了。大家都知道，有些计算机病毒是择日发作的，其中有一种就叫作“黑色星期五”。这一天真是不幸，电脑闹病毒，电视也闹病毒。美国人自己也是这么说的：赶上特别的日子，你休想看上像样的电视节目。

自从我回了中国，电视总算是不闹“黑色星期五”了。但它还是一阵一阵的，和有病毒的电脑颇有点像，中国电视台的编导脑子里也有本日历。有些日子所有的频道都在闹日本鬼子——当然，这些鬼子和汉奸最后都被抗日军民消灭了，但这不能抵偿我看到他们时心中的烦恶，有个汉奸老在电视屏幕上说：太君，地雷的秘密我打听出来了——混账东西，你打听出什么了？从我十五岁开始，你一直说到了现在！还有些日子所有的频道都在引吭高歌，而且唱得都是没滋没味的。这和日历当然有关，有些日子是教师节，有些日子是老人节、儿童节。现在的节日甚多，差不多两个礼拜必有一个节日。假如把纪念日算上，几乎每天都有点说头。有个说头电视台就得有所表示，表示的结果往往是让人烦躁……

某一天成为节日或者纪念日都是有原因的，我和别人一样，对此不敢有分毫的不敬。六月一号是小朋友的节日。到了这一天电视台就不需费心安排节目，只管把平日没人看的儿童题材影片弄上去演。有些影片质量很次，有些则是过时的黑白片。大人看了不满意，编导可以说，今天是儿童节，为了孩子，您就忍着点吧。小孩不满意，则可以说：叔叔阿姨们特地给你安排了节目，亲爱的小朋友，你不要给脸不要脸哪。总而言之，各方面都交代得过去，还省了买好节目的钱。但是这样的儿童节目别指望小朋友会爱看。其实，儿童节的情况还算好的，到了我们的节日更糟。到了教师节，就唱些歌来歌唱人民教师。我当过很多年教师，但就是不爱听那些歌——连词带曲全都很糟。词曲作者写应景的作品，当然提不起精神。歌手们唱这种应景的歌也尽跑调儿——我看他们上台前连练都没练过。不练是对的，练这种绕嘴的歌儿会咬伤舌头。人民教师里教音乐的人听了这种歌准要哭：怎么教出这样的学生来了？以前我当教师，听见这种歌就起一身鸡皮疙瘩。现在不当了，鸡皮疙瘩起得倒少了……到了春节就要听相声，相声越来越不逗。还有那些犯贫的小品——平常的日子还可以不受这种罪……

对电视观众来说，幸运的是：不是每天都是节日和大的纪念日，在这些日子里可以指望看点好节目。对电视台的编导来说，不幸的也是：不是每天都是节日和纪念日，那一天他们必须给观众找点节目。我现在站在编导一方来说话——

我们应该体谅电视台的难处。我认为，可以增加节日和纪念日的数目。举例来说，现在有儿童节、青年节、老人节，怎么没有中年节呢？要知道，中年人肩负着生活的重担。再比如说，现在有妇女节，为什么没有男人节呢？要知道，男人更需要关怀嘛。再说，打鬼子也不必等到抗战胜利五十周年，每年的“七七”和“八一五”都可以打他们。经过这样安排以后，可以做到每天都有一个题目，只要在这个题目之下，不管节目好坏都可以演。到了中年节，除了《人到中年》，似乎没什么可演的了，这就省得挑挑拣拣，年年都演它。我现在想不到有什么专以男人为题材的影片，那就更好。干脆什么都不演，电视台放假，在屏幕上放一条字幕：本台全体人员向全国所有的男同志致敬。有些计算机病毒闹起来就是这样：屏幕上冒出一行字来，就焊死了不动了……

有些电脑可能会染上某种择日发作的病毒，比如“黑色星期五”“米开朗琪罗”，这种病毒要好几年才发作一次，一台电脑也顶多染上一两种病毒。电脑病毒不可能时常发作，更不可能每天都发作。这理由很简单：电脑是买来用的，每天闹一次，这种破烂我们要它有何用处？相比之下，我发现大家对电视比电脑宽容得多。

（本篇最初发表于1996年11月8日《戏剧电影报》，发表时题目为“电视与计算机病毒”。）

好人电影

我在国外时看过一部歌颂好人好事的电影，片名就叫《好人先生》。现在我们这里正好提倡拍这样的电影。俗话说得好，他山之石可以攻玉。从《好人先生》里，也许可以找出可供借鉴的地方。这位好人先生是个意大利人，和我现在的年龄相仿，比我矮一个头，头顶秃光光的，在电影院里工作。和一切好人一样，他的长相一般，但他的大性就是助人为乐，不管谁需要帮助，他马上就出现在那人身旁，也不说什么豪言壮语，挽起袖子就开始工作。

影片一开始时，他在帮助一位失业青年。这位青年有表演天才，只可惜没有演出的机会。好人先生要帮他的忙，就去找夜总会的老板。他到了人家那里也不说话，先帮老板擦桌扫地。老板知道他的意思，就说：你不要这样，我不能叫某某到我这里演出——我的生意不坏，弄个棒槌来出洋相，这不是毁我的生意吗？好人也不说话，接着帮老板干活，天天如此，终于叫老板不好意思了，说道：好吧，叫你那个人来吧，只准演一晚上。好人还是没说话。当晚他把那位青年送来了——顺便说一句，好人有一辆汽车，非常之小，样子也很古怪，像个垃圾箱的模样，我看不出是什么牌子的——把那青年送到夜总会的后门，陪他到了后台，此时电影已经演了老半天了，好人还没说一句话呢。我一边看一边想：真可惜，这么好的人是个哑巴。然后，那位青年的演出大获成功。好人在后台看他谢幕，忽然说了一句：新的明星诞生了。然后就开车走了。我看到这里非常感动，而且也挺高兴：好人不是哑巴。我们的电影里，好人满嘴豪言壮语，效果倒未必好。

在那部电影里，好人开着他那辆古怪汽车跑来跑去，忙得不可开交。那部电影头绪繁多，有二十条以上的线索，这是因为他在帮助二十个以上的人。有时你简直看不出他在干什么。比方说，他抽出大量的时间来陪一位年轻的单身母亲。这位女士非常地可爱，我觉得他对她有意思了。这也没什么不好的：好人是光棍一条，有个伴也没什么不好。走到大庭广众之中，他老请她唱歌给他听——她的嗓子非常之好，但不喜欢在生人面前歌唱，但终于拗不过好人。终于有一回，在一个大商场里放声歌唱起来，简直就像天使在歌唱。大家停下来听，给她鼓掌，她也陶醉在歌唱之中——这时候好人又跑了。人家唱得这么好，他也不听。这时我忽然想到：这个女人原来心理是有问题的，既孤僻，又悲观，好人帮助她克服了心理危机——他其实并不想听她唱歌，不过是做件好事而已。好人做好事，做得让你不知是在干啥，这样可以制造悬念——这是一种电影技法，警匪片常用，好人片里也用得上。

《好人先生》是根据真人真事拍成的，像这类影片总是有点沉闷。这部电影也有这个缺点。这电影我讲不全，因为中间睡着了几次，每次都是被我老婆掐醒的。平时我睡觉不打呼噜，可那回打得很响，还是在电影院里，所以她不掐也不行——影片结尾并不沉闷：好人遇上了一个特殊的求助者——一个四五十岁的寡妇。这女人一看就很刻薄古板，身上穿着黑色的丧服，非常不讨人喜欢。她把好人叫到家里来，直截了当地说：我要你每月到我这里来两次，每月第一个星期一和第三个星期一，晚上八点来，和我做爱。你要对我非常温柔——你不能穿现在穿的夹克衫，要穿西服打领带，还要洒香水。你在我这里洗澡，但是要自带毛巾和浴衣……嘀里嘟噜说了一大堆，全是不合理的要求，简直要把人的肺气炸——看起来，和那寡妇做爱比到车站卸几车皮煤还要累。就我个人来说，我宁愿去车站卸煤。你猜好人怎么着？他默默地听完了，起身吻了寡妇一下，说：到下个星期一还有三天。就去忙他的事了。这就是好人真正令人感动之处：他帮助别人是天性使然，只要能帮人干点事，他就非常高兴，不管这事是什么，只要是好事他都做。这种境界非常地高，也是值得我们借鉴的。当然了，因为国情不同，我们的好人不一定也要和寡妇做爱……

这部电影的结尾是：好人从寡妇那里出来，开车到另一处做好事，半路上出了车祸，被卡车撞了，好人也就死了。好人总是没好报，这世界上一切好人电影都是这么结束的。我们的电影也是这样，所以就用不着借鉴了。

（本篇最初发表于1996年12月6日《戏剧电影报》）

中国为什么没有科幻片

王童叫我回答一个问题：为什么中国没有科幻片。其实，这问题该去问电影导演才对。我认得一两位电影导演，找到一位当面请教时，他就露出一种蒙娜丽莎的微笑来，笑得我浑身起鸡皮疙瘩。笑完了以后他朝我大喝一声：没的还多着哪！少跟我来这一套……吼得我莫名其妙，不知自己来了哪一套。搞电影的朋友近来脾气都不好，我也不知为什么。

既然问不出来，我就自己来试着回答这个问题。我在美国时，周末到录像店里租片子，“科幻”一柜里片子相当多，名虽叫作科幻，实际和科学没什么大关系。比方说，《星际大战》，那是一部现代童话片。细心的观众从里面可以看出白雪公主和侠盗罗宾汉等一大批熟悉的身影。再比方说，《侏罗纪公园》，那根本就是部恐怖片。所谓科幻，无非是把时间放在未来的一种题材罢了。当然，要搞这种电影，一些科学知识总是不可少的，因为在人类的各种事业中，有一样总在突飞猛进地发展，那就是科学技术，要是没有科学知识，编出来也不像。

有部美国片子《苍蝇》，国内有些观众可能也看过，讲一个科学家研究把人通过电缆发送出去。不幸的是，在试着发送自己时，装置里混进了一只苍蝇，送过去以后，他的基因和苍蝇的基因就混了起来，于是他自己就一点点地变成了一只血肉模糊的大苍蝇——这电影看了以后很恶心，因为它得了当年的奥斯卡最佳效果奖。我相信编这个故事的人肯定从维纳先生的这句话里得到了启迪：从理论上说，人可以通过一条电线传输，但是这样做的困难之大，超出了我们的能力。想要得到这种启迪，就得知道维纳是谁：他是控制论的奠基人，少年时代是个神童——这样扯起来就没个完了。总而言之，想搞这种电影，编导就不能上电影学院，应该上综合性大学。倒也不必上理科的课，只要和理科的学生同宿舍，听他们扯几句就够用了。据我所知，综合性大学的学生也很希望在校园里看到学电影的同学。尤其是理科的男学生，肯定希望在校园里出现一些表演系的女生……这很有必要。中国的银幕上也出现过科学家的形象，但都很不像样子，这是因为搞电影的没见过科学家。演电影的人总觉得人若得了博士头衔，非疯即傻。实际上远不是这样。我老婆就是个博士，她若像电影上演的那样，我早和她离婚了。

除了要有点科学知识，搞科幻片还得有点想象力。对于创作人员来说，这可是个硬指标。这类电影把时间放到了未来，脱离了现实的束缚，这就给编导以很大自由发挥的空间——其实是很严重的考验。真到了这片自由的空间里，你又搞不出东西来，恐怕是有点难堪。拍点历史片、民俗片，就算没拍好，也显不出寒碜。缺少科学知识，没有想象力，这都是中国出不了科幻片的原因——还有一个原因，科幻片要搞好，就得搞些大场面，这就需要钱——现在是社会主义初级阶段，没那么多钱。好了，现在我已经有了很完备的答案。但要这么回答王童，我就觉得缺了点什么……

我问一位导演朋友中国为什么没有科幻片，人家就火了。现在我设身处地地替他想想：假设我要搞部科幻片，没有科学知识，我可以到大学里听课。没有想象力，我可以喝上二两，然后面壁枯坐。俗话说得好，牛粪落在田里，大太阳晒了三天，也会发酵、冒泡的。我每天喝二两，坐三个小时，年复一年，我就不信什么都想不出来——最好的科幻本子不也是人想出来的吗？搞到后来，我有了很好的本子，又有投资商肯出钱，至于演员嘛，让他们到大学和科研单位里体验生活，也是很容易办到的——搞到这一步，问题就来了：假设我要搞的是《侏罗纪公园》那样的电影，我怎么跟上面说呢？我这部片子，现实意义在哪里？积极意义又在哪里？为什么我要搞这么一部古怪的电影？最主要的问题是：我这部电影是怎样配合当前形势的？这些问题我一个都答不上来，可答不上来又不行。这样一想，结论就出来了：当初我就不该给自己找这份麻烦。

（本篇最初发表于 1997 年 1 月 2 日《戏剧电影报》）

电脑特技与异化

《侏罗纪公园》《玩具总动员》获得成功以后，电影中的电脑特技就成了个热门话题。咱们这里也有人炒这个题目，写出了大块文章，说电脑特技必然导致电影人的异化云云。我对这问题也有兴趣，但不是对炒有兴趣，而是对特技有兴趣。电脑做出的效果虽然不错，但还不能让我满意。听说做特技要用工作站，这种机器不是我能买得起的，软件也难伺候，总得有一帮专家聚在一起，黑天白日地干，做出的东西才能看。有朝一日技术进步了，用一台PC机就能做电影，软件一个人也能伺候过来，那才好呢。到了那时，我就不写小说，写点有声有色的东西。说句实在话，老写这方块字，我早就写烦了。有关文章的作者一定会惊呼道：连小说的作者（即我）也被异化了。但这种观点不值一驳。你说电脑特技是异化，比之于搭台子演戏，电影本身才是异化呢。演戏还要化装，还不如灰头土脸往台上一站。当然上台也是异化，不如不上台。整个表演艺术都没有，这不是更贴近生活嘛。说来说去，人应该弃绝一切科学、技术和艺术的进步，而且应该长一脸毛，拖条尾巴，见了人龇出大牙嗷嗷地叫唤——你当然知道它是谁，它是狒狒。比之于人类，它很少受到异化，所以更像我们的共同祖先——猴子。当然，狒狒在低等猴类面前也该感到惭愧，因为它也被异化了。这样说来说去，所有的动物都该感到惭愧，只有最原始的三叶虫和有关批判文章的作者例外。

像这样理解异化的概念，可能有点歪批，但也没有把电脑科技叫作异化更歪。除了异化之外，还有个概念叫作同化，在生物学上指生物从外界取得养分，构造自己的机体。作为艺术家，我认为一切技术手段都是我们同化的目标。假如中国的电影人连电脑特技这样的手段都同化不了，干脆散伙算了。我希望艺术家都长着一颗奔腾的心，锐意进取。你当然也可以说，这姓王的被异化得太厉害，连心脏都成了电脑的 CPU。

说句老实话吧，我不相信有关文章的作者真的这么仇恨电脑。所有的东西都涨价，就是电脑在降价，它有什么可恨的呢。他们这样说，主要是因为电脑特技是外国人先搞出来，并且先用在电影上的。假如这种技术是中国人的发明，并且在我国的重点影片上首先采用，我就不相信谁还会写这种文章——资本主义国家弄出了新玩意儿，先弄它一下。不管有理没理，态度起码是好的。有朝一日，上面有了某种精神，咱们的文章早就写了，受表扬不说，还赚了个先知先见之明。像这种事情以前也有过，但不是发生在中国，而是发生在早年的苏联；也不是发生在电影界，而是发生在物理学界。

当时爱因斯坦的相对论刚刚问世，有几位聪明人盘算了一下，觉得该弄它一下，就写几篇文章批判了一番。爱因斯坦看了觉得好笑，写了首打油诗作为回敬——批判文章我没看到，爱老师的打油诗是读过的。当然，等我读到打油诗时，爱老师和写文章的老师都死掉了。对于后者来说，未尝不是好事，要不别人见到时说他一句：批判相对论，你还是物理学家呢你。难免也会臊死。

我总觉得，未来的电影离不了电脑特技，正如今日的物理学离不了相对论，所以上面也不会有某种精神。当然，我也不希望有关作者被臊死。这件事没弄对，但总会有弄对的时候。

（本篇最初发表于1997年4月3日《戏剧电影报》）

有关爱情片

据说有不少观众在呼唤国产爱情片。其实，国产片子里提到爱情的也不少。小时候我看过一部《战火中的青春》，那片子是打仗的，小男孩挺爱看，但看完又觉得有点腻腻歪歪的不对劲。现在知道，这是因为片里暗示了一点爱情。青年时代看过《庐山恋》，从片名就知道，这是部爱情片。至于近来的影片，只要是现代的，大概都有点爱情的影子在内。有这么多提到爱情的国产片，观众还觉得不够，想必是有原因的——我觉得这原因就是：这些电影里爱情的力度不够，不足以满足观众（尤其是中青年女观众）的需要。我以为这是因为导演老想在电影里加入些理想和追求，把怎么谈恋爱都忘了。

以《庐山恋》为例，不仅爱情的力度不够，而且相当的古怪，虽说是部爱情片，男女主人公一不接吻，二不拥抱，连爱你都不说，只用英文高呼：I love my motherland! 吼得地动山摇。那部电影看得我浑身发冷——在云南插队时，我得过疟疾，自打那以后，还没起过那么多的鸡皮疙瘩。想看看爱情片的观众当然也不想洗这样的冷水澡。她们想看的是《生死恋》《爱情故事》《廊桥遗梦》这样的电影，爱就爱个七死八活——拿洗澡来打比方，她们不想洗冷水澡，也不想洗温水澡。她们要的是一锅热水，烫得能煺猪毛。用猪毛来比喻爱情虽然欠斯文，但能够说明问题。我要说的是：我国的编导要想使观众满意，一定要再升升温度才成。我敢拿我这个月的饭钱打赌，谁要是能搞出一锅滚滚大开的热水、一部爱到七死八活的电影，肯定能大获成功。

读者看到我这段不阴不阳的文字，肯定会想到我不爱看爱情片。你猜对了，我爱看警匪片、科幻片，甚至武打片，就是不爱看爱情片。众所周知，警匪片很是扯淡，在《纽约大劫案》中，一帮土匪劫走了几十卡车的黄金。其实在美国，除了国库哪里都没有这么多的金子，谁要是不想活了就可以去劫个试试。现在的科幻片则完全荒诞不经。在武打片里，人们在天上飞来飞去，随手一挥，就放出一片 UFO 来，打到哪里哪里就爆炸——可就是炸不死对方。那些侠客们就这样浪费自己的神奇武功，却不肯用这种能力去开山辟路，造福于人。但是人也不能总这样一本正经，偶尔看看别人扯淡，也是一种调剂。

要让我来说，哪种电影都没有爱情片扯淡——人要像这种电影里那样疯狂，不出一个月准完蛋。实际上，多数爱情片的结局总是男女主人公之一完蛋——除了让他们完蛋，就想不出办法来收场。虽然女主角很迷人，男主角很潇洒，看到他们完蛋我也不伤心——我知道不是真完蛋，而是假完蛋。这种电影我看过不少，都是陪太太看的。她在这边流眼泪，我在那边说风凉话。电影散场后，她眼睛还是红红的。我不免要说：你看看你，岁数也不小了，还是看这种电影掉眼泪，寒碜不寒碜。我老婆振振有词地说：你不知道，人经常流点眼泪，对身体有好处。按照她的说法，看爱情片就是为了刺激一下泪腺。我没有理由反对她的这种嗜好——如前所述，我自己也常看些扯淡的电影作为消遣。我知道，有位伟大的哲学家、了不起的大智者维特根斯坦，最喜欢看没品的侦探小说，相比之下我们又算得了什么。女人爱看爱情片，这种嗜好也该得到尊重。我看不出我国的编导有什么理由不肯把水再烧热一些——她们爱看什么就拍什么吧。

（本篇最初发表于1997年1月23日《戏剧电影报》，发表时题目为“谈到爱情片”。）

承认的勇气

我很少看电视。有一天偶然打开电视，想看看有没有球赛，谁知里面在演连续剧《年轮》，一对知青正在恋爱——此时想关上也不可能，因为我老婆在旁边，她就喜欢看人恋爱——当时是黑更半夜，一男一女在旷野中，四野无人，只见姑娘忽然惨呼一声，“我是可以教育好的子女”，投入情郎的怀抱。这个场面有点历史的真实性，但我还是觉得，这女孩子讲的话太过古怪了。既然是“子女”，又堪教育，我倒想问问，你今年几岁了。坦白地说，假如我是这位情郎，就要打“吹”的主意。同情归同情，我可不喜欢和糊涂人搞在一起。该剧的作者会为这位当年的姑娘辩护道：什么事情都要放到一定的历史背景下看，当年上面的精神说她是个子女，她就是个子女。这话虽然有道理，但不对我的胃口。我更希望听到这样的解释：这女孩本是个聪明人，只可惜当时正在犯傻。但是这样的解释是很少能听到的。知青文学的作者们总是这样来解释当年的事：这是时代使然，历史使然。好像出了这样的洋相，自己就没有责任了。

我和同龄人一样，有过各种遭遇。有一阵子，我是黑五类（现在这名字是指黑芝麻、黑米等，当时是指人），后来则被发现需要再教育，就被置于广阔天地之中去“滚一身泥巴，炼一颗红心”。再后来回到城里，成了工人阶级，本来可以领导一切，但没发现领导了谁。再以后千辛万苦考上了大学，忽而慨然想到：现在总算是个臭老九了——以后的变化还多，就不一一列举。总而言之，人生在世，常常会落到一些“说法”之中。有些说法是不正确的，落到你的头上，你又拿它当了真，时过境迁之后，应该怎样看待自己，就是个严肃的问题。这件事让中国人一说太过复杂（我就是中国人，所以讲得这样复杂），美国人说起来简单：这不就是当了回傻 × 吗？

“傻 ×”（asshole）这个词，多数美国人是给自己预备的。比方说，感觉自己遭人愚弄时，就会说：我觉得自己当了傻 ×（I feel like an asshole）！心情不好时更会说：我正琢磨我是哪一种傻 ×。自己遭人愚弄，就坦然承认。那个 × 说来虽然不雅，但我总觉得这种达观的态度值得学习。相比之下，国人总不肯承认自己傻过，仿佛这样就能使自己显得聪明；除此之外，还要以审美的态度看待自己过去的丑态。像这种傻法，简直连 × 都不配做了。

本文的目的是想谈谈我的心路历程。像这样说美国人的好话，有民族虚无主义之嫌，会使该历程的价值大减。其实我想要说的是，承认自己傻过，这是一种美德，而且这种美德并不是洋人教给我的。年轻时我没有这种美德，总觉得自己很聪明，而且永远很聪明，既不会一时糊涂，也不会受愚弄。就算身处逆境，也要高声吟道：天生我材必有用——也不怕风大闪了舌头。忽一日，到工厂里学徒，拜刘二为师，学模具钳工，顺便学会了这种美德。这种美德出于中国哲人的传授，又会使它价值大增。这位哲人长了一双牛一样的眼睛，胡子拉碴，穿着不大干净。我第一次见到他，就听见他在班组里高谈阔论道：我是傻 ×。对这个论断，刘师傅证明如下：师傅加师母，再加两位世兄，全靠师傅的工资养活，这工资是三十五块五，很不够用，想不出路子搞钱，所以他是傻 ×。假如你相信是你自己，而不是别人，该为家庭负责，就会相信这个结论。同理，脑袋扛在肩上，是自己的，也该为它负责，假如自己表现得很傻，就该承认。假如这世上有人愚弄了我，我更是心服口服：既然你能耍了我，那就没什么说的——我是傻 ×。人生在世有如棋局，输一着就是当了回傻 ×，懂得这个才叫会下棋。假如我办了什么傻事被你撞见了，你叫我傻 ×，我是不会介意的。但我不会说别人是傻 ×，更不会建议别人也说自己是傻 ×，我知道这是个忌讳。

我现在有了一种二十岁时没有的智慧。现在我心闲气定地坐在电脑面前写着文章，不会遭到任何人的愚弄，这种状态比年轻时强了很多。当时我被人塞了一脑子的教条，情绪又受到猛烈的煽动，只会干傻事，一件聪明事都办不出来。有了前后两种参照，就能大体上知道什么是对的。这就是我的智慧：有这种智慧也不配叫作智者，顶多叫个成年人。很不幸的是，好多同龄人连这种智慧都没有，这就错过了在我们那个年代里能学会的唯一的智慧——知道自己受了愚弄。

外国电影里的幽默

近来和影视圈里的朋友谈电影，我经常要提起伍迪·艾伦。这些朋友说，艾伦的片子难懂，因为里面充满了外国人的幽默。幽默这种东西很深奥，一般人没有这么大的学问，就看不懂。我说，我觉得这些片子很好懂。他们说：您是个最有学问的人哪。就因为能看懂艾伦的电影，我赚了这么一顶高帽。艾伦有部电影叫作《傻瓜》（Banana），写的也是个傻瓜，走在街上看到别人倒车，就过去指挥，非把人家指挥到墙上才算；看到别人坐在桥栏杆上，就要当胸推上一把，让人家拖着一声怪叫掉到水里——就这么个能把人气乐了的家伙，居然参加了游击队，当了南美的革命领袖……当然，这部电影想在中国上演是不容易的，但也没有什么高深的学问在内。

艾伦还有部片子，叫作《性——你想知道又不敢问的事情》，从名字就能看出来，这片子有点荤，不在引进之列，但也不难懂。我在街道工厂学过徒，我估计我们厂的师傅看到这部片子都能笑出来；但也会有人看了不想笑。有位英国演员得了奥斯卡金像奖之后，仅仅因为他是男的，追星族的少女就对他很热情。他感慨道：我现在才知道，原来四十多岁，秃顶，腆着个大肚子（这就是他老兄当年的形象），这就是性感的标志啊。我也有同样感慨：原来“傻瓜”“想知道又不敢问的事”，这就是高深的学问啊。

最近看过美国电影《低俗小说》（又译《黑色通缉令》），里面有个笑话是这样的：一次大战时，有个美国军人给爱人买了一块金表，未来得及给她，就上了前线。他带着这块表出生入死，终于回来，把表交给了她，两人结婚生子，这块表就成了这一家的传家宝。这家的第二代又是军人，带着金表去越南打仗，被越共逮住，进了战俘营。越共常常搜战俘的身，但此人想道：我要把这传家宝藏好，交给我儿子。就把它藏在了屁眼里，一连藏了五年，直到不幸死去。在临终时，他把表托付给战友，让他一定把表给儿子。这位战友也没地方藏，又把它藏在了屁眼里，又藏了两年，才被释放。最后，这家的第三代还是个孩子时，有一天，来了一位军官（就是那位受托的战友），给他讲了这个故事，并把这件带有两个人体温，七年色、香、味的宝物，放到孩子手心里。这孩子直到四十多岁，还常常在梦里见到这一幕，然后怪叫一声吓醒。

鲁迅先生也讲过一个类似的故事：民国时，一位前清的遗少把玩着一件珍贵的国宝——放在手里把玩，还拿来刮鼻子，就差含在嘴里——原来这国宝是古人大殓时夹在屁眼里的石头。从这两个故事的相似之处可以看出幽默是没有国界的，用不到什么高深学问就能欣赏它；但你若是美国的老军官，就会不喜欢《低俗小说》，你要是中国的遗老，就会不喜欢鲁迅先生的笑话。在这种情况下，人就会说：听不懂。

除了不想懂，还有不敢懂的情形。美国的年轻人常爱用这样一句感叹语：Holy shit！信教的老太太就听不懂。holy这个词常用在宗教方面，就如中国人说：伟大、光荣、正确，shit是屎。连在一起来说，好多人就不敢懂了。

在美国，教会、军队，还有社会的上层人物，受宗教和等级观念制约，时常犯有假正经的毛病，所以就成为嘲讽的对象。这种幽默中国没有，但却不难理解。中国为什么没有这种幽默，道理是明摆着的：这里的权力不容许幽默，只容许假正经。开玩笑会给自己带来麻烦。我喜欢说几句笑话，别人就总说：你在五七年，准是个右派。五七年有好多漫画家都当了右派。直到现在，中国还是世界上少数几个没有政治漫画的国家。于是，幽默在这个国家就成了高深莫测的学问。

有一部根据同名小说改编的电影《玫瑰之名》，讲了这么一个故事：中世纪的意大利，有座修道院，院里藏了一本禁书，有很多青年僧侣冒着生命危险去偷看这本书，又有一个老古板，把每个看过这本书的人都毒死了。该老古板说道，这本禁书毒害人的心灵，动摇人的信仰，破坏教会在人间的统治——为此，他不但杀人，还放了火，把这本禁书和整个修道院都烧掉了。这是个阴森恐怖的故事，由始至终贯穿着一个悬念——这是一本什么书？可以想象，这书里肯定写了些你想知道又不敢问的事情。在电影结束时，披露了书名，它就像《低俗小说》里那块沉重的金表，放进了你的掌心：它是亚里士多德久已失传的《诗学》第二部。这本书只谈了一件事：什么叫作幽默。这个故事的背景也可以放在现代中国。

都市言情剧里的爱情

看过冯小刚导演的都市言情剧《情殇》，感到这个戏还有些长处。摄影、用光都颇考究，演员的表演也不坏，除主题歌难听，没有太不好的地方。当然，这是把它放在“都市言情剧”这一消闲艺术门类内去看，放到整个艺术的领域里评论，就难免有些苛评——现在我就准备给它点苛评。我觉得自己是文化人，作为此类人士，我已经犯下了两样滔天大罪：第一，我不该看电视剧，这种东西俗得很；第二，我不该给电视剧写评论。看了恶俗的都市言情剧，再写这篇评论文章，我就如毕达哥拉斯学派的弟子，有了吃豆子的恶行，从此要被学院拒之于门外。所幸我还有先例可引：毛姆先生是个正经作家，但他也看侦探小说，而且写过评论侦探小说的文章。毛姆先生使我觉得自己有可能被原谅。当然，是被文化人原谅，不是被言情剧作者原谅——苛刻地评论人家，还想被原谅，显得太虚伪。

毛姆是这样评论侦探小说的：此类小说自爱伦·坡以来，人才辈出，培养出一大批狡猾的观众，也把自己推入了难堪之境。举例来说，一旦侦探小说里出现一位和蔼可亲、与世无争的老先生时，狡猾的观众们就马上指出：杀人的凶手就是他！此类情形也发生在我们身边，言情剧的作者也处于难堪的境地。这两年都市言情剧看多了，我们正在变得狡猾：从电视屏幕上看到温柔、漂亮的女主角林幻，我马上就知道她将在这部戏里大受摧残——否则她就不必这样温柔、漂亮了。在言情剧里，一个女人温柔、漂亮，就得倒点霉；假如她长得像我（在现实生活里，女人长得像我是种重大灾难），倒有可能很走运。她还有个变成植物人的丈夫，像根木棍一样睡在病床上，拖着她，使她不便真正移情别恋。从剧情来看，任何一个女人处在女主角的地位，都要移情别恋，因为不管她多么善良、温柔，总是一个女人，不是一根雌性的木棍，不能永远爱根雄木棍，而且剧里也没把她写成木棍，既然如此，植物人丈夫的作用无非是加重对女主角的摧残……剧情的发展已经证实了我的预见。

更狡猾的观众则说，剧作者的用意还不仅如此。请相信，这根木头棍子是颗定时炸弹。一旦林幻真正移情别恋，这根木头棍子就会醒来，这颗定时炸弹就要炸响，使可爱的女主角进一步大受摧残。戏演到现在，加在女主角身上的摧残已经够可怕的了：植物人丈夫一年要二十万医药费，她爱的男人拿不出。有个她不爱的男人倒拿得出，但要她嫁过去才能出这笔钱。对于一个珍视爱情的女人来说，走到了这一步，眼看要被逼成一个感情上的大怪物……我很不希望这种预见被证实，但从剧情的发展来看，又没有别的出路。造出一颗定时炸弹，不让它响，对炸弹也不公平哪。

毛姆先生曾指出，欣赏通俗作品有种诀窍，就是不要把它当真；要把它当作编出来的东西来看，这样就能得到一定的乐趣。常言道：爱与死是永恒的主题，侦探小说的主题是死，言情剧的主题是爱。虽然这两件事是我们生活中的大事，但出现在通俗作品里，就不能当真。此话虽然大有道理，怎奈我不肯照办。

从长远的观点来看，我们都是要死的。被杀也是一种可能的死因。但任何一个有尊严的人都会拒绝侦探小说里那种死法：把十八英尺长的短吻鳄鱼放到游泳池里，让它咬死你；或者用锐利的冰柱射入你的心脏；最起码要你死于南洋土人使用的毒刺——仿佛这世界上没有刀子也捡不到砖头。其实没有别的理由，只是要你死得怪怪的。这不是死掉，而是把人当猴子耍，凶手对死者太不尊重——我这样认真却是不对的。侦探小说的作者并没有真的杀过人。所以，在侦探小说里，别的事情都可以当真，唯有死不能当真。

同理，都市言情剧别的事都可以当真，也只有爱情不能当真。倘若当真，就有很多事无法解释。以《情殇》中的林幻为例，她生为一个女人，长得漂亮也不是她之罪，渴望爱情又有什么不对？但不知为什么，人家给她的却是这样一些男人：第一个只会睡觉，该醒时他不醒，不该醒时他偏醒，就是这么睡，一年却要二十万才够开销——看到睡觉有这么贵，我已经开始失眠；第二个虽然有点像土匪，她也没有挑剔，爱上了，但又没有钱，不能在一起；第三个有钱，可以在一起，她又不爱——看到钱是如此重要，我也想挣点钱，免得害着我老婆；甚至想到去写电视剧——我也不知还有没有第四个和第五个，但我知道假如有，也不会是什么好东西。这世界上不是没有好男人，怎奈人家不给她，拣着坏的给。这个女人就像一头毛驴被驾在车辕上，爱情就像胡萝卜，挂在眼前，不管怎么够，就是吃不着——既然如此，倒不如不要爱情。我想一个有尊严的女人到了这个地步，一定会向上帝抱怨：主啊，我知道你的好意，你把我们分成男人和女人，想让我们生活有点乐趣——可以谈情说爱；但是好心不一定能办好事啊。看我这个样子，你不可怜我吗？倒不如让我没有性别，也省了受这份活罪——我知道有些低等生物蒙你的恩宠，可以无性繁殖。我就像细菌那样分裂繁殖好了。这样晚上睡觉，早上一下变成了两个人，谈恋爱无非是找个伴儿嘛，自己裂成两半儿，不就有伴儿了吗……

上帝听了林幻的祷告，也许就安排她下世做个无性繁殖的人，晚上睡觉时是林幻，醒来就变成了林幻一和林幻二，再也不用谈爱情。很不幸的是，这篇祷告词有重大的遗漏，忘记告诉上帝千万不要再把她放进电视剧里，以免剧作者还是可以拿着她分裂的事胡编乱造，让她生不如死。但这已是另一个世界里电视剧作者的题目，非我所能知道。

《祝你平安》与音乐电视

我很少看 MTV，但既看电视，总免不了会看见一些。最近看到了孙悦唱的 MTV《祝你平安》，心里有些疑惑，想借《演艺圈》的园地，求教于高明。照我看来，那是一首安慰失意情人的歌，对此不当再有其他解释了。孙悦唱得很好，歌也很好听。但画面就让人有点看不懂，看懂的地方又让人有气。

先说我不懂的地方。众所周知，MTV 的画面不一定有逻辑，好看就成。但我不懂的是导演的创意。这本是首爱情歌，却串进了女教师和聋哑学生。虽然弘扬主旋律、歌颂人民教师是好的，但却不是这么弘扬法……我老婆没看过这段 MTV，却会唱这歌，时不常对我来几句，以示柔情，但我总觉得她在说我是哑巴。这不就是搞串了吗？主旋律是主旋律，男女之情是男女之情，切不可这样胡串。再说，在片首孙悦打扮得像个小蜜，片中才出现了聋哑学生。假如不是我想象力过于丰富，这故事仿佛是说：有一聋哑学校的教师，丢下学生跑到深圳，傍上了大款。回过头来想想被丢下的学生，心中不忍——这歌就不叫“祝你平安”，该叫作“鳄鱼的眼泪”，因为真有良心就该回去教书。就算真有这样的事，也只是极个别的现象，没有普遍意义。

再说说我自以为看懂了的地方。片子结束时，出现了一个交通警，微笑着做准许车辆通行的手势。照我浅薄的理解，这是对歌曲名称的简单图示：警察同志让你过去，同时一笑，此乃祝你平安之意也——用这种手法来点题。但愿我理解错，因为把别人想得如此低能是有罪的。有个英文歌 Crazy，请这位导演来拍 MTV，就要拍些疯子了，否则没法点题。《我的太阳》可以是这种拍法：请一漂亮女孩搂住陈佩斯。既有“我的”，又有“太阳”，太阳就是陈佩斯的脑袋。你肯定会同意，我的创意虽然直露，尚不如《祝你平安》的结尾那么直。要拍岳飞的《满江红》，就得去请食人族，否则不能“饥餐胡虏肉”。按照这种自然主义的逻辑，麦当娜的 Like a Virgin 该请观众看点什么？难道要请大家当一回大夫，去看那个东西？我们又不是妇科大夫，看了也看不懂……

李银河的《中国人的性爱与婚姻》

李银河博士的新书《中国人的性爱与婚姻》近日由河南人民出版社出版，即将与读者见面。本书运用社会学方法，对当代中国人在性爱与婚姻方面的行为与规范，做了充分的调查与分析，并对照国外同类研究的成果，做了跨文化的比较研究。全书以实证调查为基础，结论可靠；主题为全社会所关心，行文流畅，描述生动，故而既有学术性，又有可读性。

婚姻、家庭、性观念等，既是社会学的重要研究题目，又是社会关心的热点。近年来，已有多种著述出现，其中有些文章出于记者作家的手笔，文辞华丽，行文生动，在唤起社会重视这类问题方面，有不可低估的贡献。美中不足之处在于对研究方法不大讲究，引证国外报道，又多根据非专业书刊。李银河博士受过严格的专业训练，在写作此书前，又做了系列调查，所以本书的出版，正好补这方面的不足。

社会科学与自然科学的共通之处，就在于对所研究之题目，要有超过常识、超过一般水平的了解。换言之，社会科学也是专门科学。如其不然，何须要有专业人才。专业人士讨论问题，当有自己的独特观点。本书述及各类社会现象，首先努力正确度量，以求准确，而后利用各种有定评的方法加以分析，最后所得结论，也不妄作价值判断。作者的目的，在于把可靠的研究结果披露于社会，把评判的权力交到读者手里。正如其他学科的学者所做的一样，大家对自己的研究成果，只是客观地报告。一个发现一经报道，就与研究者没有关系。它的正确与否，自有实践和别人来检定。专业作者只求别人知道他的发现，却不肯作努力去感动别人，震撼别人。发现的正确与否，与读者的情绪无关。这种着眼点的区别，读者在读了李博士的书后自会有所体会。

李博士的某些研究中，使用了社会统计学较新的方法，比如随机抽样、LOG-LINEAR、LOGIT 模型等。如今的读者在科学修养方面，已有很大提高。社会学方面的读者，这些知识自应掌握。而其他专业的读者，也不至于不能理解。因为作者相信，概率统计作为各学科的通用工具，已被很多人掌握。

在她的另一些研究中，采用了个案调查的方法。我国一位老一代社会学家说，社会学研究要出故事。因为人在社会上，有出生，有死亡，有婚丧嫁娶，有前因有后果，完全可以自圆其说。处于不同文化中的人可以互相了解，这就需要对各种文化给予不带偏见的完整说法。这也是所有的读者都爱看的。

社会科学与自然科学又有不同之处。社会科学所研究的对象，乃是人类社会，大家都在其中生活。社会科学研究的对象，不像自然科学那样，只有少数专业人士能够触及，而是人人有份。人对于人的认识，容易带有偏见。比如自我中心、文化中心主义，等等。

我国的社会学，师承自现代人类学鼻祖马林诺夫斯基。遥想马翁当年，提倡走出书房，到天涯海角，跳出主流文化的圈子，那是何等的胸襟。人类是一个整体，是所有的人，大多数的人不等于人类全体。但是我们所知的往往只是我们所处的文化，和我们一样的人，并在不知不觉中把这看成人类全体。这样的看法是不完全的。当年孟夫子说：杨朱利己，是无君也；墨子兼爱，是无父也；无君无父，是禽兽也。这种说法把某些人视为非人动物，实在有失公允。

李银河博士的书中，对于在性爱婚姻等方面处于非主流文化中的人给予一定的重视。比如对于自愿不育者、同性恋者、独身者、离婚者等，都有专章述及。这绝不是为了猎奇，也不是对上述人士的做法表示同意，而是出于社会学人类学的一贯态度。我国的传统文化中，有所谓推己及人之说，于是中国人仿佛只有一种文化，所有的人只有一种行为方式。其实不同的亚文化始终存在，只不过我们一贯对此视而不见而已。

总禁不住要给实证的研究作辩护，其实可能是多余的。在报刊上看到有人抨击不生育文化，说不宜提倡。李博士谈到同性恋文化，要是有人说她提倡同性恋就坏了。社会学研究同性恋文化，仅仅因为它是存在的东西。我们说的文化，属于存在的论域，跟提倡没关系。实证的科学，研究的全是已存在的事。不管同性恋可不可提倡，反正它是存在的，因为有人在搞同性恋。假如只研究可提倡的东西，恐怕我们研究的事，大半都属虚无，而眼前发生的事倒大半不知道。

当然这本书里说到的绝不止是同性恋。像择偶标准、浪漫爱、婚姻支付、青春期恋爱等题目，就与更大范围的人有关系。作者的研究对于婚姻性爱方面的各种观念、各种亚文化，都给予重视。也希望读者对于除自己所持的观念、所处的文化之外，别人的观念和文化也有所了解。这正是现代社会学人类学所希冀于社会的。

（《中国人的性爱与婚姻》，李银河著，1991 年河南人民出版社出版。）

李银河的《生育与中国村落文化》

最近，蜚声海内外的牛津大学出版社出版了中国女社会学者李银河博士的一部新著：《生育与中国村落文化》。

李银河在研究中国农村生育文化时，提出了一个新的观点：传统文化的本质，来自于村落。在中国，有一个现象不论南北都有，就是不大不小的自然村很多。这和耕作、生活方式有一定的关系。另外，中国农村住得很紧密，起码和外国农村相比是这样。因此就出现了这样一种现象：在村里没有不透风的墙，你的事别人都知道，别人的事你也知道。这就是信息共有。如果按人类学里信息学派的意见，共有的信息就是文化，村落文化的存在是毋庸置疑的了。

据我所知，李银河当初想用“村社文化”这个说法，但是别人说，“村社”这个词已经有了，不能赋予它新的意义。这当然是对的，但是我很为李银河丧失了“村社”而可惜。咬文嚼字地说，“村”是什么意思不必解释了，“社”

的意思是土地神。这和她要说明的现象很吻合。在村里，三姑六婆就是土地神，无所不知，又无所不传。所以一个自然村简直就是个人信息的超导体，毫无秘密可言。生老病死，婚丧嫁娶，什么事别人都知道，所以简直什么事自己都做不了主。这种现象是很重要的。有人说，外国文化是罪感文化，中国文化是耻感文化。这个感觉相当犀利，但只是感觉而已。罪感当然来自上帝，假如你信他，就会觉得在他面前是个罪人。但是假如你不觉得有好多人在盯着你，耻感何来呢？如果没有信息共有，耻感文化也无法解释了。

除了生育，在村子里还有很多个人做不了主的事，比方说，红白喜事。这些事要花很多的钱，搞得当事人痛苦不堪，但又不能不照规矩办。也许你乐意用传统、风俗来解释这种现象，但你解释不了人们为什么要坚持痛苦的传统，除非你说大家都是受虐狂，实际上又远不是这样——有好日子谁不想过。村落文化是一种强制的力量，个人意志不是它的对手。

李银河认为，传统观念、宗族意识等，在现在农村里也是存在的，但是你不能理解为它们保存在个人的头脑里。实际上，它们是保留在村落文化这个半封闭的大匣子里。这也是个有意义的结论。我们知道，在苏格兰有个半封闭的尼斯湖，湖里还有恐龙哪。在中国村落里保存了一些文化恐龙，也不算什么新鲜的事。不管怎么说，现在是共产党的天下，宗族和孔孟哲学没有合法的权威性。真正有权威的是村落。

办事都要按一定规矩办，想问题要按一定方式去想，不管你乐意不乐意。这既不是因为古板，也不是因为有族规，而是因为有一大群人盯着你。我相信，这样的解释更加合乎实情。她描述了这样一幅生活图景：你怎么挣钱，别人不管；但你怎么过日子，大伙就要说话了。在这种情况下，日子当然难有崭新的过法。

李银河的《生育与中国村落文化》所依据的是在山西、浙江两地的调查。她的见解十分敏锐，遗憾的是实证功夫稍有欠缺。假设她的调查不是在这两地的两三个村子、各百十户人家里，而是在散布在全国的上百个村子、上千户人家里完成，就更有说服力。当然，这样的要求近似扳杠。因为她用的是人类学方法，这种方法强调第一手资料，面对面交谈，通过翻译都会遭人诟病。人类学的前辈大师米德女士在萨摩亚实地调查多年，只因为听人转述，就遭人耍了。考虑到这种情况，谈了百十户，谈得扎实，也就不错了。最主要的是，她不是在文献里找出个说法，然后在调查里验证一番，而是自己来找说法，到调查里验证，这是非常好的。其实她阐述的现象就在我们眼前，只不过我们视而不见罢了。北京城里没有村落，但有过胡同、大杂院，有一些人员很少流动的单位。在这些地方，隐私也不多，办个什么私事，也难说全是个人决策。因为这类现象并不陌生，你看了这本书，不会怀疑村落文化的真实性。罗素大师曾言：不要以为有了实证方法，思辨就不重要了。实际上，要提出有意义的假设，必须下一番思辨功夫。这真是至理名言。据我所知，这番功夫她是下了的。假设婚丧嫁娶、生育不生育都是个人决策，那么就要有个依据——追求个人快乐或者幸福。在村庄里，这种想法不大流行，流行的是办什么事都要让大家说好，最好让大家都羡慕。这是另一个价值体系。那么是否能说，他们的幸福观就是这样，另外的快乐、幸福对他们来说就不存在了呢？在结束了在山西的调查，浙江调查未开始时，李银河给《二十一世纪》杂志写过一篇文章，讨论了这个问题，在此不能详加引述，以免文章太冗长。简单来说，结论是这样的：不管怎么说，自己觉得好和别人说你好毕竟是两回事，不是一回事。村落中人把后者看得极重，实在是出于不得已。最重要的是，不能认为，对他们来说前一个问题就不存在了。以此为据，村落文化的实质就容易把握了。

李银河把村落文化看作一种消极力量，是因为这种文化中人把全部注意力都放到眼前这个自然村里，把宝贵的财力全用在了婚丧嫁娶这样一些事上，生活的意义变成了博取村里人的嫉妒、喝彩，缺少改善生活的动力。这个文化里，人际关系的分量太大，把个人挤没了。别人也许会反对她的观点——他会说重视人际关系，正是我们的好处呢。在这方面，恐怕我要同意李银河的意见，因为中国的村落文化和低质量的生活联系在一起，放弃村落文化到城市里生活正是千百万农民的梦想——所以它是那种你不喜欢，又不得不接受的东西。在这种情况下，我们就不能给它唱赞歌了。

李银河的研究工作是朴素的。作为学者，她不是气势恢宏、辞藻华丽的那一种，也不是学富五车、旁征博引的那一种。她追求的是事事清楚、事事明白，哪怕这种明白会被人看成浅薄也罢。从表面上来看，研究工作有很多内容，比方说，题目有没有人重视啦，一年发了多少论文啦，写了多少学术专著啦，但是这些在她看来并不是最重要的，最重要的是要有所发现。

（《生育与中国村落文化》，李银河著，1993年香港牛津大学出版社出版。）

摆脱童稚状态

在李银河所译约翰·盖格农《性社会学》一书中，第十七章 “性环境”集中叙述了美国对含有性内容的作品审查制度的变迁，因而成为全书最有神采的一章。美国在二次大战前对“色情作品”的审查是最严的，受到打击的绝不止真正的色情作品。就以作家为例，不但海明威、雷马克有作品被禁，连最为“道学”的列夫·托尔斯泰也上了禁书榜。在本世纪二十年代，美国的禁书榜上不但包括了乔伊斯的《尤利西斯》，劳伦斯的《恋爱中的女人》等，拉伯莱斯的《阿拉伯之夜》和雷马克的《西线无战事》也只能出节本。事有凑巧，我手上正好有一本国内出版的《西线无战事》，也是节本，而且节得上气不接下气。这种相似之处，我相信不仅仅是有趣而已。以前我们谈到国内对书刊、影视某些内容过于敏感时，总是归因于中外国情不同，社会制度不同，假如拿美国的三十年代和现在中国作个对比，就很容易发现新的线索。

自一次大战后，美国对色情作品的检查呈稳步上升之势。一方面对性作品拼命压制，一方面严肃文学中性主题不断涌现，结果是从联邦到州、市政府开出了长得吓人的禁书书单。遭难的不只是上述作家，连《圣经》和莎翁的戏剧也只能通过节本和青少年见面。《圣经》抽掉了《雅歌》，莎翁抽掉了所谓猥亵的内容，结果是孩子们简直就看不明白。当然，受到限制的不仅是书刊，电影也没有逃出审查之网。在电影里禁止表现娼妓、长时间的做爱，禁止出现裸体、毒品、混血儿（！！）、性病、生育和嘲笑神职人员的镜头。

当时严格的检查制度有其理论，这种理论认为一切对性的公开正面（非谴责性）的讨论都会导致性活动的泛滥，因为性知识是性行为的前兆。这就是说，性冲动是强大的，一受刺激就会自动表达出来。与此相辅相成的是另一个理论：性是危险的，人是薄弱的，必须控制性来保护人。这种观点和时下主张对文学作品严加控制的观点甚是相似。在我们国家里，现在正有人认为青少年的性犯罪和书籍、录像带有关系，还有一些家长反映孩子看了与性有关的书刊，影响了学习，因此主张对有性内容的书刊、录像严加限制。

但是在我看来，像这样的观点因为是缺少科学训练的人提出的，多少总有点混乱不清的地方。比方说二十年代美国这种理论，在科学上我们只能承认它是一种假设，必须经过验证才能成立；而且它又是一种最糟不过的假设，定义不清，以致无法设计一种检验方法。我在报刊上看到一些统计数字，指出有多少性犯罪的青少年看过“不良”书刊或者黄色录像带，但是这样立论是错误的。实际上有效的立论应是指出有多少看过“不良”书刊的青少年犯了罪。在概率论上这是两个不同的反验概率，没有确定的关系，也不能够互相替代。至于家长说孩子看了与性有关的书刊，影响了学习，实际上是提出了一个因果模型——看某些书刊→影响学习。有经验的社会学家都会同意，建立一个可靠的因果模型是非常困难的。就以前述家长的抱怨为例，首先你要证明，你的孩子是先看了某些书刊，而后学习成绩才下降的；其次你要证明没有一个因素既影响到孩子看某种书，也影响到孩子的学习。我知道有一个因素要影响到这两件事，就是孩子的性成熟。故而上述家长的抱怨不能成立。现在的孩子营养好，性成熟早，对性知识的需求比他们的父母要早。据我所知，这是造成普遍忧虑的一个原因。假如家长只给他们馒头和咸菜吃，倒可以解决问题（使其性成熟期晚些到来）。以上论述要说明的是，关于色情作品对青少年的腐蚀作用，公众从常识的观点得出的结论和专家能做出的结论是不一样的。倘非如此，专家就不成其为专家。

当然，人们给所谓色情作品定下的罪名不仅是腐蚀青少年，而且是腐蚀社会。在这方面书中有一个例子，就是六十年代的丹麦实验。一九六七年，丹麦开放了色情文学（真正的色情文学）作品，一九六九年开放了色情照片，规定色情作品可以生产，并出售给十六岁以上的公民。这项实验有了两项重要结果，其一是，丹麦人只是在初开禁时买了一些色情作品，后来就不买或是很少买，以致在开禁几年后，所有的色情商店从哥本哈根居民区绝迹，目前只在两个小小的地区还在营业，而且只靠旅游者生存。本书作者对此的结论是："人有多种兴趣，性只是其中的一种，色情作品又只是其中一个小小的侧面。几乎没有人会把性当作自己的主要生活兴趣，把色情作品当作自己的主要生活兴趣的人就更少见。"

丹麦实验的第二个重大发现是色情业的开放对某些类型的犯罪有重大影响。猥亵儿童发案率下降了百分之八十，露阴癖也有大幅度下降。暴力污辱罪（强奸、猥亵）也减少了，其他犯罪数量没有改变。这个例子说明色情作品的开放会减少而不是增加性犯罪。笔者引述这个例子，并不是主张什么，只是说明有此一事实而已。

美国对色情作品的审查浪潮在二次大战后忽然退潮了。本书作者的观点是：这和美国从一个保守的、乡村为主的单一清教国家，转变成了多元的国家有关。前者是反移民、反黑人、反共、排外的，社会掌握在道德警察手里；后来变成了一个都市化、工业化的社会，那种严格检查的背景就不存在了。这种说明对我们甚有意义，我们国家也是一个以乡村为主的国家。至于清教传统，我们没有过。清教徒认为人本性是恶的，必须加以限制。我们国家传统哲学认为人性本善，但是一到了“慕少艾”的年龄，他就不再是好东西了。所以对于青春期以后的人，两边的看法是完全一样的。本书作者给出了一个美国色情开放程度的时间表，在此列出，以备参考：

早于四十年代：任何女性的裸体或能引起这类联想的东西，包括掀起的衣裙、乳头的暗示，都属禁止之列；

四十年代：色情杂志上出现裸女背影；

五十年代：乳房的侧影；

六十年代：出现乳头，《花花公子》杂志上出现女性阴部；

七十年代：男性生殖器出现在《维瓦》和《花花女郎》杂志上，女性的阴唇出现在《阁楼》和《花花公子》杂志上。

每当杂志走得更远时，审查员就大声疾呼，灾难就要降临，但是后来也没闹什么灾。所以这些人就落入了喊“狼来了”那个孩子的窘境。

《性社会学》这本书里把对影视出版的审查，看作一种性环境。这种审查的主要目标是色情作品，所以含有性内容的严肃作品在这里只是被“捎带”的。所谓严肃作品，在我看来应该是虽然写到了性，但不以写性为目的的作品。这其中包括了以艺术上完美为目标的文学、影视作品，社会学、人类学的专业书，医学心理学的一部分书。据我所知，这类作品有时会遇到些麻烦。从某种意义上讲，严肃的作家、影视从业人员也可以算作专家，从专家的角度来看审查制度，应该得到什么样的结论呢？

改革开放之初，聂华苓、安格尔夫妇到中国来，访问了我国一批老一代作家。安格尔在会见时问：你们中国的作品里，怎么没有写性呢？性是生活中很重要的事呀。我国一位年长的作家答道：我们中国人对此不感兴趣！这当然是骗洋鬼子的话，实际情况远非如此。但是洋鬼子不吃骗，又问道：你们中国有好多小孩子，这是怎么一回事？这句话的潜台词就是这些孩子不是你捏着鼻子、忍着恶心造出来的吧。当然，我们可以回答：我们就是像吃苦药那样做这件事！但是这样说话就等于承认我们都是伪君子。事实上性在中国人生活里也是很重要的事，我们享受性生活的态度和外国人没有什么不同。在这个方面没必要装神弄鬼。既然它重要，自然就要讨论。严肃的文学不能回避它，社会学和人类学要研究它，艺术电影要表现它。这是为了科学和艺术的缘故。然而社会要在这方面限制它，于是，问题就不再是性环境，而是知识环境的问题了。

《性社会学》这本书描述了二十年代美国是怎样判决淫秽书的，起诉人从大部头书里摘出一段来，念给陪审员听，然后对他们说：难道你希望你们的孩子读这样的书吗？结果海明威、劳伦斯、乔伊斯就这样被禁掉了。我不知道我们国家里现在有没有像海明威那样伟大的作家，但我知道假如有的话，他一定为难以发表作品而苦恼。海明威能写出让起诉人满意的书吗？不能。

我本人就是个作者。任何作者的书出版以后，会卖给谁他是不能够控制的。假如一位严肃作家写了性，尽管其本心不是煽情、媚俗，而是追求表达生活的真谛，也不能防止这书到了某个男孩子手里，起到手淫前性唤起的作用。故此社会对作家的判决是：因为有这样的男孩子存在，所以你的书不能出。这不是太冤了吗？但我以为这样的事还不算冤，社会学家和心理学家比他还要冤。事实上社会要求每个严肃作家、专业作者把自己的读者想象成十六岁的男孩子，而且这些男孩似乎还是不求上进、随时要学坏的那一种。

我本人又是个读者，年登不惑，需要看专业书，并且喜欢看严肃的文学书，但是市面上只有七十二个故事的《十日谈》、节本《金瓶梅》，和被宰得七零八落的雷马克，还有一些性心理学、性社会学的书，不客气地说，出得完全是乌七八糟。前些日子买了一本福柯的《性史》，根本看不懂，现在正想办法找英文本来看。这种情形对我是一种极大的损害。在此我毫不谦虚地说，我是个高层次的读者，可是书刊检查却拿我当十六岁的孩子看待。

这种事情背后隐含着一个逻辑，就是我们国家的出版事业必须就低不就高。一本书能不能出，并不取决于它将有众多的有艺术鉴赏力或者有专业知识的读者，这本书应该对他们有益，而是取决于社会上存在着一些没有鉴赏力或没有专业知识的读者，这本书不能对他们有害。对我来说，书刊审查不是个性环境，而是个知识环境问题，对其他知识分子也是这样的。这一点是《性社会学》上没有提到的。二三十年代，有头脑的美国人，如海明威等，全在欧洲待着。后来希特勒把知识分子又都撵回到美国去，所以美国才有了科学发达、人文荟萃的时代。假如希特勒不在欧洲烧书、杀犹太人，我敢说现在美国和欧洲相比，依然是个土得掉渣的国家。我不敢说国内人才凋零是书刊检查之故，但是美国如果现在出了希特勒，我们国内的人才一定会多起来。

假如说市场上有我需要的书，可能会不利于某些顽劣少年的成长的话，有利于少年成长的书也不适合于我们。这一点与意识形态无关。举例而言，《雷锋的故事》这样的书对青年有益，把它译成英文，也很适合西点军校的学员阅读，但是对于那些秃顶教授，就不那么适宜。再比方说，《罗兰小语》、琼瑶的小说，对美国 highschool 的女生很适宜（可惜的是美国这类书已经很多了），但是对于年过四旬，拿了博士学位，在大学里讲社会学的知识分子就不适宜，如果强要他们读的话，大概会感到有点恶心。这种人甚至会读 *Story of O*，虽然你问他时他不一定肯承认。有人会争辩说，孩子是我们的未来，应该为他们作牺牲。但是现在的问题是牺牲的代价是让成人也变成孩子。这样做的结果是我们根本就不会有什么未来。

现在美国和欧洲把成人和儿童的知识环境分开,有些书、有些电影儿童不能看。这种做法的背后的逻辑是承认成人有自我控制的能力，无须法庭、教会来决定哪些他能够知道，哪些他不能知道。这不仅是因为成人接触这些知识是无害的，也不仅仅是因为这些知识里有他需要知道的成分，还因为这是对成年人人格的尊重。现代社会的前景是每个人都要成为知识分子，限制他获得知识就是限制他的成长。而正如孙隆基在《中国文化的深层结构》里指出的，目前中国人面对的知识环境是一种童稚状态，处于弗洛伊德所说的肛门时期。也许，因为种种原因，特别是历史原因，我们眼下还不能不有一些童稚的做法。那么，下一步怎么办？一种做法是继续保持童稚状态，一种做法是摆脱童稚状态，准备长大。相信前一种做法的人，也相信乔治·奥威尔在《1984》里杜撰的口号——无知即力量；相信后一种做法的人，也相信培根的名言——知识就是力量。这“下一步”当然不是把日历翻过去就是的明天，但是，也不应当是日历永远翻不到的明天。

（本篇最初发表于1993年第六期《读书》杂志）

拷问社会学

李银河新近完成了一项对妇女的感情与性的研究，报告已发表在《中国社会科学季刊》上，专著正在出版过程中。这项研究没有采用问卷调查、统计分析的方法，而是采用了文化人类学访谈的调查方法——虽然这不是这项研究的唯一特色，但也值得说上一说。

从旁看来，李银河的调查方法缺少神秘色彩——找到一位乐于接受访谈的人，首先要决定的是大家怎么见面：是她去呢，还是人家来。在电话上约定了以后，就可以进行下一步。若是她去，她就提上一个手提包上路，包里放着笔记本和几支圆珠笔，通常是挤公共汽车去——因为要见生人，所以还化了一下妆，这在她是很郑重的举动，但别人恐怕根本看不出来。在京城，打扮最不入时、穿着最随便的女士，大概就是女教授、女博士了。化了妆的女博士还是女博士，不会因此变成公关小姐……就这样，她访问了很多人。这使大家觉得什么博士啦，教授啦，也就是些一般人。

若是人家来，对方就要走进她住的那座宿舍楼，走过满是尘土的楼道。她的家和一般文化人的家一样，堆满了杂乱无章的书籍和纸张。她给客人敬上一杯清茶，就开始访谈。谈完之后，假如到了吃饭时间，就请客人吃顿便饭。一切都和工薪阶层的人士接待朋友时做的一样。她从来没给客人报销过“的票”，客人也没有这样的要求，因为看她的样子就不像能报销“的票”的人。随着研究工作的进行，越来越多的人到过她家里，她并不觉得这有什么不对。有一天，一位调查对象（这位朋友是男性，属另一项调查）很激动地说：李教授，像你这样可不成！不该把陌生人约到家里来。然后她想了一想，觉得没什么不行的，再说，也没有别的地点可约。

除了这种有中国特色的人类学研究方法，还有别的方法可用——比方说，采用分层抽样的方法，展开问卷调查。这必须和某个政府机关合作，还要由一所大学的社会学系来进行。假如研究的目标是一座中等城市，你先在该城市里抽出一定数量的办事处，再在各办事处下抽出一定数量的居委会。再以后，从居民的花名册上抽出个人。有一件事一定不要忽略，就是要根据研究的需要，特别保证某种职业或年龄组的人有一定的数量。用术语来说，研究假设规定的各子样本都要有足够的样本量。调查完毕还要拿一些基本的统计和人口普查的结果对照，看看本次调查有无代表性。做到了这些，抽样就算有了科学性。所有的社会学教科书都写着这套方法，但国外的教科书上没写办事处、居委会、居民花名册，只简单地提到可以利用电话本和教堂的人口记录。还有一些事情，中外所有的社会学书都没有提，那就是怎样去找一大笔研究经费，怎样去求得政府机关的合作，但是成熟的社会学家自会想出办法来，所以调查还是可以进行。一大批调查员（在校大学生）由居委会干部带路，前往各家各户。如果问卷涉及个人隐私，居委会的干部是绝对必要的。因为被抽中的人可能会拒绝回答。在这种情况之下，血气方刚的大学生会和面有愠色的被调查者吵起架来，后者会提出一个尖锐的问题：你凭什么来问我？我为什么要告诉你？前者答不出，就难免出言不逊。而居委会干部可以及时出场，把后者带到一旁，对他（或她）进行一些教育和说服。然后他（或她）就忍气吞声地回来，回答这些敏感的问题。必须强调指出，这种调查的场面不是笔者的想象，我在社会学研究单位工作过，这些事我是知道的。我总觉得，假如有调查对象不情愿的情形，填出来的问卷就没有了科学性。

根据我的经验，问卷调查有两大难关，其一是如何找钱和得到政府机构的合作，其二是怎样让调查对象回答自己的问题。对一般的社会调查，前一个问题更大；对敏感问题，后一个问题更大。概括地说，前一个问题是：如何得到一个科学的样本。后一个问题是：如何使样本里的人合作。

在性这种题目上，后一个问题基本无法克服。举个国外的例子可以说明这一点，美国前不久进行了一次关于性行为的调查，前一个问题解决得极好，国会给社会学家拨了一笔巨款来做这项研究，政府把保密的人口记录（社会保险号码）也对社会学家敞开了，因此他们就能得到极好的样本，可以让其他社会学家羡慕一百年。但以后发生的事就不让人羡慕，那些被抽中的人中，很有一些人对自己进入这个样本并不满意——他们不肯说。如前所述，美国没有居委会干部，警察对这件事也不便插手。所以他们采用了另一个方法：死磨。我抽中了你，你不说，我就不断地找你。最多的一位找了十四次，让你烦得要死。这样做了以后，美国的性社会学家终于可以用盖世太保的口吻得意扬扬地宣布说：大多数人都说了。还有个把没说的，但就是在盖世太保的拷问室里，也会有些真正的硬骨头宁死不说，社会学家不必为此羞愧。真正值得羞愧的是他们的研究报告：统计的结果自相矛盾处甚多。试举一例，美国男性说，自己一个月有四五次性行为；女性则说，一个月是两三次。多出来的次数怎么解释？——美国男人中肯定没有那么多的同性恋和兽奸者。再举一例，天主教徒中同性恋者少，无神论者中同性恋者多。研究说明，不信教就会当同性恋。我恐怕罗马教皇本人也不敢说这是真的，因为有个解释看起来更像是真的，宗教的威压叫人不敢说实话。最后研究的主持人也羞羞答答地承认，有些受调查人没说实话。必须客观地指出，比之其他社会学家，性社会学家做大规模调查的机会较少，遇到这千载难逢的机会，就有点热情过度，忽略了一件事，那就是：我想告诉你什么，我自会告诉你；我不想告诉你，你就是把我吊起来打，我也不会告诉你实话——何况你还不敢把我吊起来打。

诚然，除了吊打之外，还有别的方法，比方说，盯住了选定的人，走到没人的地方，把他一闷棍打昏，在他身上下个窃听器，这样就能获得他一段时间内性行为的可信情报。除了结果可信，还使用了高科技，这会使追时髦的人满意。但这方法不能用，除了下手过重时打死人不好交代之外，社会学家也必须是守法的公民，不能随便打人闷棍。由此可以得到一种结论：社会学家的研究对象是人，不是实验室里的耗子，对他们必须尊重；一切研究必须在被研究者自愿的基础上进行。从这个意义上说，李银河所用的调查方法很值得赞美。她主要是请别人谈谈自己的故事——当然，她自己也有些问题要问，但都是在对方叙述的空隙时附带式地提上一句。假如某个问题会使对方难堪，她肯定不会问的。这是因为，会使对方不好意思的问题，先会使她自己不好意思。我总觉得她得到的材料会很可信，因为她是在自己的文化里，用一颗平常心来调查。这种研究方式比学院式的装腔作势要有价值——马林诺夫斯基给费孝通的《江村经济》作序时，说过这个意思。

想当年，费孝通在江村做调查。这地方他很熟，差不多就是他的故乡；和乡民交谈很方便，用不着找个翻译；他可以在村里到处转，用不着村长陪着。就这样，差不多是在随意的状态中，他搜集了一些资料，写成了自己的论文。这论文得到马林诺夫斯基非常高的评价。马氏以为，该论文的可贵之处在于它不摆什么学术架子——时隔很多年，中国的学者给这种研究方法起了个学术架子很足的名称，叫作本土社会学。我觉得李银河最近的研究有本土社会学的遗风。与之相对的，大概也不能叫作外国社会学。问卷调查的方法、统计分析的方法，虽然是外国人的发明，但却确实是科学的方法。使用这些方法时，必须有政府的批准和合作，所以可以叫作官方社会学。纵然这是不得已的，借助政府的力量强求老百姓合作总是不好，任何认真的社会学家都会心中有愧。中国社会学家得到的研究结果和上面想要见到的总是那么吻合——这也许纯属偶合，但官样文章读起来实在乏味。在调查个人敏感问题时，官方社会学会遇到困难，在这些困难面前，社会学又有所发展，必须有新的名称来表示这种发展。比方说，美国性社会学家采用的那种苦苦逼问的方法，可以叫作拷问社会学。再比方说，我们讨论过的那种把人打晕，给他装窃听器的方法，又可以叫作刑侦社会学。这样发展下去，社会学就会带上纳粹的气味，它的调查方法，带有希姆莱的味道；它的研究结果，带有戈培尔的味道。我以为这些味道并不好。相比之下，李银河所用的方法虽然土些，倒没有这些坏处。

（本篇最初发表于1997年第十二期《方法》杂志，发表时题目为“谈谈方法问题”。）

《他们的世界》序

当我们对我国的同性恋现象进行研究时，常常为这样的问题所困扰：你们为什么放着很多重大问题不去研究，而去研究同性恋？假如这种诘难来自社会学界同仁，并不难答复。正文中将有专门的章节讨论做同性恋研究的原因。难于答复的是来自一般人的诘难。故此这个问题又可以表述为：你们作为社会学者，为什么要研究同性恋？回答这个问题的困难并不在于我们缺少研究同性恋的理由，而在于我们缺少做出答复的资格。众所周知，只有一门科学中的出类拔萃之士，才有资格代表本门科学对公众说话。

然而我们又不得不做出解释。我们做这项研究所受到的困扰，不只是诘难，而且在于，社会中有一部分人不赞成研究同性恋。毛泽东曾说，对牛弹琴，如果去掉对听琴者的藐视，剩下的就只是对弹琴者的嘲弄。虽然如此，我们仍不揣冒昧，不惧嘲弄，要对公众陈述社会学和人类学的立场，以及根据这样的立场，对同性恋的研究为什么必不可少。

半个世纪以前，在文化人类学中处于泰山北斗地位的马林诺夫斯基为费孝通所著的《江村经济》一书作序时，对费孝通的工作给予极高的评价。马林诺夫斯基认为，这本书的最大优点在于，它是一个土生土长的人在本乡人民中进行观察的结果。正因为有这样的特点，所以它是一个实地调查者最珍贵的成就。

费孝通的研究对象是一个社区，包括了社区生活的每一个方面。这样的研究在深度和研究方法等方面，与我们的研究有很大不同。但是这项研究中有一些宝贵的经验，值得我们记取。这就是，作为土生土长的人，对熟悉的人群做实在的观察，不回避生活的每一个侧面。这种实在的作风乃是出于以下的信念："真理能够解决问题，因为真理不是别的而是人对真正的事实和力量的实事求是。"站在这种信念的对立面的，是学院式的装腔作势，是"以事实和信念去迎合一个权威的教义"。于是如马林诺夫斯基所言，"科学便被出卖了"。

我们发现，在社会科学的出发点方面，有两种对立的立场：一种是说，科学在寻求真理，真理是对事实的实事求是；另一种则说，真理是由一种教义说明的，科学寻求的是此种真理正大光明的颂词。一种说，科学不应屈服于一种权威的教义；另一种说，科学本身就是权威的教义。一种说，不应出卖科学；一种则说，不存在出卖的问题，它自从出世，就在买方手中。一种说，在科学中要避免学院式的装腔作势；另一种则说，科学本身不是别的，恰恰就是学院式的装腔作势。一种说，科学是出于求知的努力，是永不休止的学习过程；另一种则认为，科学原质是天生所有的，后天的求学乃是养浩然正气，凡有助于正气的，可以格致一番，而不利于正气的，则应勿视勿听，以求达到思无邪的境界。

站在前一种立场上，我们认为，中国的同性恋现象是一种真正的事实，不能对它视而不见，必须采取实事求是的态度。这个研究的唯一目的，就是想知道中国现有的同性恋群体是什么样子的。而站在后一种立场上，我们会发现自己是发疯了。这种研究不风雅，也难以学院式的口吻来陈述。最主要的是，在这项研究中，不能够直接表现出我们社会中居于主导地位的意识形态是多么的正确和伟大。

这后一种立场，我们称之为“意识形态中心主义”。从这一立场出发所做的研究，只是为了寻求来自意识形态方面的好评，故而它是按照可能得到好评的程度来构造研究的方向和结果的。从事这种研究，因为预知了的结果，同手淫很相似。一个男人在手淫之先，就预知结果是本人的射精。然而这不妨碍手淫在他的想象中有声有色地进行，这是因为有快感在支持。对于从意识形态中心主义立场出发的研究来说，来自意识形态方面的好评就具有快感的意味。然而，这种活动绝对不会产生任何真正的果实。

在说明了这一点之后，就可以对公众说明我们研究同性恋的初衷了。我们是真诚的求知者，从现存的事实看，同性恋现象无论如何也是值得研究的。以保守的估计来说，同性恋者至少占总人口的百分之一，这肯定够上了必须加以研究的规模。同性恋活动影响到家庭和社会关系的各个方面，其影响因此超过了百分之一的规模。中国的男同性恋者多是要结婚的，必然对女性的婚姻生活有重大影响。上述任何一条，都成立为研究的理由。

此外，还有一个理由，就是弗洛姆倡导的人文主义立场。他说过，马林诺夫斯基也说过，科学的价值在于为人类服务。我们不能保证每次研究都有直接的应用价值，但应保证他们都是出于善良的愿望。我们在做同性恋研究时，也对他们怀有同样的善良愿望，希望对他们有所帮助，而不是心怀恶意，把他们看作敌对的一方。我们始终怀着善意与研究对象交往。这种立场，我们称之为科学研究的善良原则。

以上所述，可以概括为科学研究的实事求是原则、反意识形态中心主义原则和善良原则，这些原则就是我们研究同性恋的出发点和最终目的。在正文开始之前，略加陈述，以期求得读者的共鸣，是为序言。

（《他们的世界》，李银河、王小波著，1992年11月山西人民出版社出版。）

《他们的世界》跋

在描述和讨论了中国的男同性恋现象之后，我们发现，在这个社会中，有如此庞大的一个人群和如此重要的一些事实，曾被完全忽略了。以人的视力来比方的话，这个社会的视力在人们生活中的某些方面几近全盲，虽然在其他方面它的视力是非常之好的。这就引起了我们的恐慌：假如它的视力有如此之大的缺陷，谁能保证它没有看漏别的什么更重要的事情？在我们这个社会里，谁知道还有如此巨大而被人们视而不见的东西？

其实，同性恋这件事意义就非同小可。假如你是一位妇女，又不幸嫁给了同性恋者，也许就会遇上冷漠、疏远、没有性生活，却完全不知道是因为什么，也许一生的幸福会因此而报销。谁能够说，这样的事还不算严重？在我们的研究中发现，这样的妇女是有的。她们既不知道有同性恋这样的事，也不知道丈夫是同性恋者，还以为世上所有的男人全是这样，因此也不会抱怨什么。于是，我们认为很严重的事，她却以为不严重。可是一旦她知道了这件事的内情，定然会勃然大怒，以为受了愚弄。

我们举这样的例子，不是要谴责同性恋者，而是要说明我们做此研究的本意。我们不认为自己已经完全说明了中国当代同性恋现象的全貌，但是假若我们真的做到了这一点，必然会有人认为，我们揭开了社会的疮疤，引起了不必要的麻烦，这是因为我们把被愚弄而不自知的平静，转化成自觉被愚弄的痛苦。其实这种指责是没有道理的——因为这疮疤早早揭开的话，就不会有受愚弄的人。

就整体而言，这个研究的出发点是对这个社会视力缺陷的忧虑，以青蛙的视力来打比方，青蛙的视力也有类似的缺陷。它能够看到眼前飞过的一只蚊虫，却对周围的景物视而不见，于是在公路上常能看见扁平如煎饼的物体，它们曾经是青蛙。它们之所以会被车轮轧得如此之扁，都是因为视觉上的缺陷。

尽管我们这个社会已经存在了非常之久，但它对人类本身一些最基本的方面还一无所知。我们必须承认，我们还不知道，为什么农民非要生很多孩子不可，假如要他们自愿少生一些，应该用什么办法。我们也不知道，为什么大多数中国人宁愿在婚丧嫁娶方面花很多钱，却不肯用来改善生活。像这样的事情多得数不过来。从社会学角度来说，我们没有好的假设可供检验；从人类学角度来说，我们对这些人的生活尚缺乏根本的了解。假如不了解这些事，恐怕有一天我们会被轧得非常之扁。

同性恋研究给我们以这样的启示：倘若生活中存在着完全不能解释的事，那很可能是因为有我们所不知道的事实，而不知道的原因却是我们并不真正想知道。比如我们以前不知道同性恋的存在，是因为我们是异性恋；我们不知道农民为什么非生很多孩子不可，是因为我们是城里人。人类学和社会学告诉我们的是：假如我们真想知道，是可以知道的。

关于同性恋问题

从一九八九年开始，我们做了一个对中国男同性恋的研究，几经波折，终于得到了对于一个研究者来说圆满的结果——发表了研究报告，并且写了一本书，叫作《他们的世界》。从社会学的角度来看，这本书有一些显著的缺点，也有一些显著的优点。优点在于首次发现了在中国大陆也存在着广泛的男同性恋人群体，并且存在着一种同性恋文化——我们说的文化是文化人类学意义上的，指一个群体内全体成员共有的信息，具体来说，指关于同性恋活动场所、相互辨认的方式、绰号、圈子内的规范等知识。我们对这种文化做了比较细致的调查，描述了其内容。这是一种科学上的发现。

这本书的缺点在于没有按统计学的要求来抽样，故而所得的结果不能做定量的推论。我们的调查对象都是性格外向的勇敢分子，他们只是全部同性恋者中的一部分，其他人的情形是他们转述的，所以由此得到的结论可能会多少有些偏差。

一些人带有固定的同性恋倾向，不管他知不知道有同性恋这件事，或者是否经历过同性恋行为，这种倾向始终存在。因为有了这种倾向，一旦他开始同性恋行为，就不能或者很难矫正过来。而没有这种倾向的人，可能会在青少年时期涉及同性恋活动，等到成年以后，却会发生变化，憎恶这种活动。现在看来，这种倾向很可能是遗传的，或者说是先天的。但也有可能是在童年养成的——我们发现它和初次性经历有很大关系。一件有趣的事是，世界各地的人，不论其种族、文化、宗教，都有一定比例的人带有这种倾向。我们说的同性恋者，就是指这样的人。现有的资料说明，终身的绝对男同性恋者占男性人口的百分之一到百分之十，我们的研究证实了这种说法。仅从我们发现同性恋人群的规模来看，肯定超过了男性人口的百分之一，但是到底有多少，却无法确知。假如你有个孩子惯用左手，你可以禁止他用左手写字、用左手拿筷子，但是他的左手毕竟是较灵活的手。这种情形和同性恋的情形是一样的。一个有同性恋倾向的人可能没有机会经历同性之间的性生活，但是他始终渴望这种性生活。我们的观点是：应该把这种现象当作自然现象来看，虽然它的形成过程可能与童年的生活环境这类社会文化因素有关。

我们在调查中发现，中国的大中城市都有同性恋人群，他们在一些公共场所相互辨认、攀谈，找到自己中意的人后发生性关系。但是在这种场合活动的人，只是男同性恋者的一部分。更多的人在自己周围寻找性爱的对象。在后一种情形下，涉及到的人就不一定纯然是同性恋者。有些与常人无异的年轻人会在无意中同一位同性恋者交上朋友，加之本人尚未结婚，就很难说是完全自愿，也很难说是完全不自愿地参与了同性间的性生活。这说明同性恋者和异性恋者是不能仅仅从行为上区分的，真正的分界是看某人在同性恋和异性恋这两种性生活方式中选择哪一种。我们说男同性恋者占男性人口的百分之一到百分之十，是指终身的绝对同性恋者。只是偶尔（一两次或某段时间）参与同性恋活动的境遇型同性恋不计。除此之外，我们对同性恋者的生活、同性恋的原因以及同性恋者的价值观念等做了研究和描述。这些在书里都写了，不再赘述。在此主要分析一下与同性恋有关的伦理问题，这是我们在书里没有谈到的。

一个人的成长大体受到三种力量的左右：他父母的意愿，他的际遇，他本人的意愿。而一个人成为同性恋者不是因为父母的意愿，也不是他自己的决定，而是一种际遇。就算这是遗传决定的，一个人带有何种遗传因子，对他自己也是一种际遇吧。既然这不由他本人决定，同性恋就不是一种道德或者思想问题。我们想这点是很重要的。同性恋者像其他人群一样有些负面的现象，比如喜新厌旧、对恋爱对象不忠诚、对妻子家人隐瞒自己的真实性倾向，等等。这些或者可以说是思想或者道德问题，有一些具体的人应当为此负责任。但不该让全体同性恋者为此负责。

没有人愿意自己的孩子长成一个同性恋者，包括同性恋者本人在内。这是因为同性恋者在我们这个社会中会遇到比常人不利的成长环境。这种愿望无可非议，但是现在举不出什么可靠的方法可以防止孩子成为同性恋者。发现孩子有同性恋倾向，也没有可靠的办法矫正。

不久前，在一个会议上听到一种说法，把同性恋称为“社会丑恶现象”，列入了应当根除之列。在惊愕之余，我们也感觉到一些人对我们的社会期望之高。假如我们这个社会是一片庄稼地的话，这些同志希望这里的苗整齐划一，不但没有杂草，而且每一棵苗都是一样的，这或许就是那位以同性恋为“丑恶现象”的人心目中的“美丽现象”吧。不幸的是，人的存在是一种自然现象，而不是某种意志的产物。这种现象的内容就包括：人和人是不一样的，有性别之分，贤愚之分，还有同性恋和异性恋之分，这都是自然的现象。把属于自然的现象叫作“丑恶”，不是一种郑重的态度。这段话的意思说白了就是这样的：有些事原本就是某个样子，不以人的意志为转移。

现在我们都知道纳粹分子对犹太人犯下了滔天罪行，但是知道他们对同性恋者也犯下了同样的罪行的人就少了。这是因为犹太人在道德上比较清白无辜，同性恋者在多数人看来就不是这样的，遇到伤害以后很少有人同情，故而处于软弱无力的境地。我们的好几位调查对象就曾受敲诈，遭殴打，事后也不敢声张。有一个形容缺德行为的顺口溜，打聋子骂哑巴扒绝户坟——现在可以给它加上一句：敲诈同性恋。打聋子缺德，是因为他不知你为何打他，也就不知该不该还手；骂哑巴缺德，是因为他还不了口；扒绝户坟缺德，是因为没有他的后人来找你算账；敲诈同性恋缺德，是因为他不敢报案。这四种行为全在同一水平线上。照我们的看法，这才是“丑恶现象”，应当加以根除。一个现象是否丑恶，应当由它的性质来决定，而不是由它是针对什么人来决定。

国外不少社会学同仁都在做这方面的工作——了解那些在社会中处于不利地位的人群，如娼妓、同性恋者、少数民族，甚至与男性相比之下处于不利地位的全体女性，帮助他们改善生存环境，改变于人于己有害的行为方式，以便得到更好的生活。虽然我们研究同性恋现象的主要目的是为了发现事实，但同时也希望通过我们的调查研究，使公众对这个社会的许多不为人知的方面有所了解，并持一种更符合现代精神的科学态度。

（本篇最初发表于1994年第一期《中国青年研究》杂志，发表时题目为“关于中国男同性恋问题的初步研究”。）

有关同性恋的伦理问题

一九九二年，我和李银河合作完成了对中国男同性恋的研究之后，出版了一本专著，写了一些文章。此后，我们仍同研究中结识的朋友保持了一些联系。除此之外，还收到了不少读者的来信。最近几年，虽然没有对这个问题做更深的研究，但始终关注着这一社会问题。

从一九九二年到现在，关注同性恋问题的人已经多起来。有不少关于同性恋的研究发表，还有一些人出来做同性恋者的社会工作，我认为这是非常好的事情。当然，假如在艾滋病出现之前就能有人来关注同性恋的问题，那就更好一些。据我所知，因为艾滋病流行才来关注这个问题，是件很使同性恋者反感的事情。我们的研究是出于社会学方面的兴趣，这种研究角度，调查对象接受起来相对而言比较容易些。

做科学研究时应该价值中立，但是作为一个一般人，就不能回避价值判断。作为一个研究者，可以回避同性恋道德不道德这类问题，但作为一个一般人就不能回避。应该承认，这个问题曾经使我相当的困惑，但是现在我就不再困惑。假定有个人爱一个同性，那个人又爱他，那么此二人之间发生性关系，简直就是不可避免的。不可避免，又不伤害别人的事，谈不上不道德。有些同性恋伴侣也会有很深、很长久的关系，假如他们想要做爱的话，我想不出有什么理由要反对他们。我总觉得长期、固定、有感情的性关系应该得到尊重。这和尊重婚姻是一个道理。

这几年，我们听到过各种对同性恋的价值判断，有人说：同性恋是一种社会丑恶现象，同性恋不道德，等等。因为我有不少同性恋者朋友，他们都是很好的人，我觉得这种指责是没有道理的，所以这些话曾经使我相当难过。但现在我已经不难过了。这种难过已经变成了一种泛泛的感觉：在我们这里，人对人的态度，有时太过粗暴、太不讲道理。按现代的标准来看，这种态度过于原始——这可能是传统社会的痕迹。假如真是这样，我们或许可以期望将来情况会变得好些。

我对同性恋者的处境是同情的。尤其是有些朋友有自己的终生恋人，渴望能终生厮守，但现在却是不可能的，这就让人更加同情。不管是同性恋，还是异性恋，对爱情忠贞不渝的人总是让人敬重。但是同性恋圈子里有些事我不喜欢，那就是有些人中间存在的性乱。和不了解的人发生性关系，地点也不考究；不安全、不卫生，又容易冒犯他人。国外有些同性恋者认为，从一而终，是异性恋社会里的陈腐观念，他们就喜欢时常更换性伴。对此我倒无话可说。但一般来说，性乱是社会里的负面现象，是一种既不安定又危险的生活方式。一个有理性的人总能相信，这种生活方式并不可取。

众所周知，近几年来人们对同性恋现象的关注，是和对艾滋病的关注紧密相联的。但艾滋病和男同性恋的关联，应该说是有很大偶然性的。国外近几年的情况是：艾滋病的主要传播渠道不再是男同性恋，它和其他性传播疾病一样，主要在社会的下层流传。这是因为人们知道了这种病是怎么回事，素质较高的人就改变自己的行为方式来预防它。剩下一些素质不高的人，才会患上这种病。没有钱、没有社会地位、没有文化，人很难掌握自己的命运。我倒以为，假如想要防止艾滋病在中国流行，对于我国的流浪人口，不可掉以轻心。

艾滋病发现之初，有些人说：这种病是上帝对男同性恋者的惩罚。现在他们该失望了——不少静脉吸毒者也得了艾滋病。我觉得人应该希望有个仁慈的上帝，指望上帝和他们自己一样坏是不对的。我知道有些人生活的乐趣就是发掘别人道德上的毛病，然后盼着人家倒霉。谢天谢地，我不是这样的人。

鉴于本文将在医学杂志上发表，“医者父母心”，一种人文的立场可能会获得更多的共鸣。我个人认为，享受自己的生活对任何人来说都是头等重要的事。性可以带来种种美好的感受，是人生最重要的资源。而同性恋是同性恋者在这方面所有的一切。就我所知，医学没有办法把同性恋者改造成异性恋者——我猜这是因为性倾向和人的整个意识混为一体——所谓矫治，无非是剥夺他的性能力。假如此说属实，矫治就没什么道理。有的人渴慕异性，有些人渴慕同性，但大家对爱情的态度是一样的，歧视和嘲笑是没有道理的。历史上迫害同性恋者最力者，或则不明事理，或则十分偏执——我指的是中世纪的某些天主教士和纳粹分子——中国历史上没有迫害同性恋的例子，这可能说明我们的祖先既明事理，又不十分偏执，这种好传统应该发扬光大。我认为社会应该给同性恋者一种保障，保护他们的正当权益。举例来说，假如有一对同性恋者要结婚，我就看不出有什么不可以。

至于同性恋者，我希望他们对生活能取一种正面的态度，既能对自己负责，也能对社会负责。我认识的一些同性恋者都有很高的文化素质、很好的工作能力。我总以为，像这样一些朋友，应该能把自己的生活弄得像个样子。我是个异性恋者，我的狭隘经验是：能和自己所爱的女人体面地出去吃饭，在自己家里不受干扰地做爱比较好。至于在街头巷尾勾个性伴，然后在个肮脏地方瞎弄几下是不好的。当然，现在同性恋者很难得到这样的条件，但这样的生活应该是他们争取的目标。

域外杂谈·衣

编辑部来信约写《域外随笔》，一时不知从何写起。就像《红楼梦》上说的，咱也不是到国外打过反叛、擒过贼首的，咱不过在外面当了几年穷学生罢了。所以就谈谈在外面的衣食住行吧。

初到美国时，看到楼房很高，汽车很多，大街上各种各样的人都有。于是一辈子没想过的问题涌上了心头：咱们出门去，穿点什么好呢？刚到美国那一个月，不管是上课还是见导师，都是盛装前往。过了一段时间，自己也觉得不自然。上课时，那一屋子人个个衣着随便，有穿大裤衩的，有穿 T 恤衫的，还有些孩子嫌不够风凉，在汗衫上用剪子开了些口子。其中有个人穿得严肃一点，准是教授。偶尔也有个把比教授还衣着笔挺的，准是日本来的。日本人那种西装革履也是一种风格，但必须和五短身材、近视眼镜配起来才顺眼。咱们要装日本人，第一是一米五的身高装不出来，第二咱们为什么要装他们。所以后来衣着就随便了。

在美国，有些场合衣着是不能随便的，比方说校庆和感恩节 party。这时候穿民族服装最体面，阿拉伯和非洲国家的男同学宽袍大袖，看了叫人肃然起敬。印度和孟加拉的女同学穿五彩纱丽，个个花枝招展。中国来的女同学身材好的穿上旗袍，也的确好看。男的就不知穿什么好了。这时我想起过去穿过的蓝布制服来，后悔怎么没带几件到美国来。

后来牛津大学转来一个印度人，见了这位印度师兄，才知道什么叫作衣着笔挺。他身高有两米左右，总是打个缠头，身着近似中山服的直领制服，不管到哪儿，总是拿了东西，边走边吃，旁若无人。系里的美国女同学都说他很 sexy（性感）。有一回上着半节课，忽听身后一声巨响。回头一看，原来是他把个苹果一口咬掉了一半。见到大家都看他，他就举起半个苹果说：May I（可以吗）？看的人倒觉得不好意思了。

衣着方面，我也有过成功的经验。有年冬天外面下雪，我怕冷，头上戴了羊剪绒的帽子，身穿军用雨衣式的短大衣，蹬上大皮靴跑出去。路上的人都用敬畏的眼光看我。走到银行，居然有个女士为我推了一下门。到学校时，有个认识的华人教授对我说：Mr. 王，威风凛凛呀。我赶紧找镜子一照，发现自己一半像巴顿将军，一半像哥萨克骑兵。但是后来不敢这么穿了，因为路上有个停车场，看门的老跟我歪缠，要拿他那顶皱巴巴的毛线帽换我的帽子。

我这么个大男子汉，居然谈起衣着来了，当然是有原因的。

衣着涉及我一件痛心的体验。有一年夏天，手头有些钱，我们两口子就跑到欧洲去玩，从南欧转北欧，转到德国海德堡街头，清晨在一个喷水池边遇到国内来的一个什么团。他乡遇故知，心里挺别扭。那些同志有十几个人，扎成一个堆，右手牢牢抓住自己的皮箱，正在东张西望，身上倒个个是一身新，一看就是发了置装费的，但是很难看。首先，那么一大疙瘩人，都穿一模一样的深棕色西服，这种情形少见。其次，裤子都太肥，裤裆将及膝盖。只有一位翻译小姐没穿那种裤子，但是腿上的袜子又皱皱巴巴，好像得了皮肤病。再说，纳粹早被苏联红军消灭了，大伙别那么紧张嘛。德国人又是笑人在肚子里笑的那种人，见了咱们，个个面露蒙娜丽莎式的神秘微笑。我见了气得脑门都疼。

其实咱们要不是个个都有极要紧的公干，谁到你这里来受这份洋罪？痛斥了洋鬼子以后，我们也要承认，如今在世界各大城市，都有天南海北来的各种各样的人，其中国内公出的人在其中最为扎眼，和谁都不一样，有一种古怪气质，难描难画。以致在香港满街的中国人中，谁都能一眼认出大陆来的表叔。这里当然有衣着的问题，能想个什么办法改变一下就好了。

（本篇最初发表于1993年第一期《四川文学》杂志）

域外杂谈·食

到了国外吃过各种各样的东西，其中有些很难吃。中国人假如讲究吃喝的话，出国前在这方面可得有点精神准备。比方说，美国人请客吃烤肉，那肉基本上是红色的。吃完了我老想把舌头吐出来，以为自己是个大灰狼了。至于他们的生菜色拉，只不过是些胡乱扯碎的生菜叶子。文学界的老前辈梁实秋有吃后感如下：这不是喂兔子吗？当然，在一个地方待久了，就会发现哪些东西是能吃的。在美国待了一两年，就知道快餐店里的汉堡包、烤鸡什么的，咱们都能吃。要是美国卖的pizza饼，那就更没问题了。但是离开美国就要傻眼。到欧洲玩时，我在法国买过大米色拉，发现是些醋泡的生米，完全不能下咽。在意大利又买过 pizza 饼，发现有的太酸，有的太腥，虽然可以吃，味道完全不对。最主要的是 pizza 顶上那些好吃的融化的奶酪全没了，只剩下番茄酱，还多了一种小咸鱼。后来我们去吃中国饭。在剑桥镇外一个中国饭馆买过一份炒饭，那些饭真是掷地有声。后来我给我哥哥写信，说到了那些饭，认为可以装进猎枪去打野鸭子。那种饭馆里招牌虽然是中文，里外却找不到一个中国人。

这种事不算新鲜，我在美国住的地方不远处，有一家饭馆叫竹园，老是换主。有一阵子业主是泰国人，缅甸人掌勺，牌子还是竹园，但是炒菜不放油，只放水。在美国我知道这种地方，绝不进去。当然，要说我在欧洲会饿死，当然是不对的。后来我买了些论斤卖的烤肉，用啤酒往下送，成天醉醺醺的。等到从欧洲回到美国时，已经瘦了不少，嘴角还老是火辣辣的，看来是缺少维生素。咱们中国人到什么地方去，背包里几包方便面都必不可少。有个朋友告诉我说，假如没有方便面，他就饿死在从北京开往莫斯科的火车上了。

据我所知，孔夫子要是现在出国，一定会饿死，他老人家割不正不食，但是美国人烤肉时是不割的，要割在桌上割。而那些餐刀轻飘飘的，用它们想割正不大可能。他老人家吃饭要有好酱佐餐。我待的地方有个叫北京楼的中国菜馆，卖北京烤鸭。你知道人家用什么酱抹烤鸭吗？草莓酱。他们还用春卷蘸苹果酱吃。就是这种莫名其妙的吃法，老外们还说好吃死了。

孔夫子他老人家要想出国，假如不带厨子的话，一定要学会吃 ketchup，这是美国人所能做出的最好的酱了。这种番茄酱是抹汉堡包的，盛在小塑料袋里。麦当劳店里多得很，而且不要钱。每回我去吃饭，准要顺手抓一大把，回来抹别的东西吃。他老人家还要学会割不正就食，这是因为美式菜刀没有钢火（可能是怕割着人），切起肉来总是歪歪扭扭。

假如咱们中国人不是要求一定把食物切得很碎，弄得很熟，并且味道调得很正的话，那就哪儿都能去了。除此之外，还能长得肥头大耳，虎背熊腰。当然，到了那种鸡翅膀比大白菜便宜的地方，谁身上都会长点肉。我在那边也有九十公斤，但是这还差得远。马路上总有些黑哥们，不论春夏秋冬，只穿小背心儿，在那里表演肌肉。见了他们你最好相信那是些爱好体育的好人，不然就只好绕道走了。

假如你以为这种生肉生菜只适于年轻人，并非敬老之道，那就错了。我邻居有个老头子，是画广告牌的，胡子漆黑漆黑，穿着瘦腿裤子跑来跑去，见了漂亮姑娘还要献点小殷勤。后来他告诉我，他七十岁了。我班上还有位七十五岁的美国老太太，活跃极了，到处能看见她。有一回去看校合唱团排练，她站在台上第一排中间。不过那一天她是捂着嘴退下台来的，原来是引吭高歌时，把假牙唱出了嘴，被台下第三排的人捡到了。不管怎么说吧，美国老人精神真好，我爸我妈可比不上。

假如你说，烹调术不能决定一切，吃的到底是什么也有很大关系，这我倒能够同意。除此之外，生命还在于运动。回国前有半年时间，我狠狠地练了练。顶着大太阳去跑步，到公园里做俯卧撑。所以等回国时，混在那些短期（长期的不大有回去的）考察、培训的首长和老师中间，就显得又黑又壮。结果是，过海关时人家让我等着，让别人先过。除此之外还搡了我一把，说出国劳务的一点规矩也没有。当时我躁得很。现在我食不厌精、脍不厌细，躲风躲太阳地养了三年多，才算有点知识分子的模样了。

（本篇最初发表于1993年第四期《四川文学》杂志）

域外杂谈·中国餐馆

到美国第二年上一个人类学课，要交个 term paper。教授要我们去调查一群人或是一类人，写个故事出来。我跟教授说，想调查一下广东人。他说这不好，你又不是广东人。他还说有不少中国人在餐馆打工，何不写写这个呢。开头我不大想去，后来一想，去看看也好，就到一家餐馆干了两个月，老板叫周扒皮。后来我和老板吵翻了扬长而去。这篇 paper 得了好几个 A，教授叫辛格顿，当过全美人类学主席。我扯这一大堆，是要说明自己到餐馆里打工是去做研究，不是为了挣钱。交代了这些以后，就该书归正传。我去的那家餐馆，叫作 × 厨，我在厨房里洗碗。那家店当时生意好得不得了，雇了三个厨子，大厨炒菜，二厨耍嘴皮子兼带欺负三厨，三厨整天长吁短叹。后来我和三厨混得蛮熟，我俩还搭点老乡。这老家伙当时有五十岁，经常喝酒，一副潦倒相，在美国也有二十多年了，一句英文不会讲。他的故事是一个匹兹堡中国男人的故事。匹兹堡不是曼哈顿，男人不是女人，所以这故事一点不浪漫。不仅不浪漫，还有点悲惨。这个三厨姓李，是山东人，从小就被国民党拉了壮丁，径直拉到了台湾，在军队里最大干到了司务长。

× 厨的餐厅有点古怪，一进门就拐弯，先往左拐，后往右拐，简直像肠子在肚子里的模样。但是总面积可不小，能放三四十桌。装潢也是蛮好的。我说设计这餐厅的人有大学问，这叫作曲径通幽。我那位老乡说，这儿原来是个破仓库，把门口拦起来，做了春卷店，有门面没桌子。干了一些年，挣了一点钱，才装修一小片，卖起炒菜来，再卖一些年，才有钱又装修一小片。这么曲里拐弯，是要遮住后面的破烂。要是满墙烂纸被人看见，谁还来吃饭？十冬腊月在街面上卖春卷，呵气成烟；白天炒一天菜，半夜里再当木匠、泥水匠，这滋味可不好受。所以，什么他妈的曲径通幽，叫蚯蚓打洞更正确。这个店是我老乡花了近十年时间白手起家练出来的。他真的吃了不少苦头。不过话说回来，在美国创业，谁不吃苦头。我老乡又说，吃苦他不抱怨，就是这辈子苦吃得太多了一点。原来他退了役在台北开店，日子蛮不坏的，忽然来了老客，说是到纽约混吧，可以发财。绿卡包在我身上。于是我老乡拿了个旅游签证就去了。到纽约下了飞机，连时差还没转过来哪，就被按到灶上炒上菜了。人家还告诉他：可不敢出门呀！移民局正逮你这样的哪。于是白天炒菜，晚上看店，一干十几年，别说逛街去，连日头也很少看见。

这故事讲到这里，基本上算明白了。原来这 × 厨曾是他的店。至于他从纽约怎么到了这儿来，也不难想象。他在纽约干了十几年后，人家给他一张绿卡说，瞧，我给你办来了，咱们两清了。我们山东人是憨厚，但不傻，知道十几年血汗换张纸片不值。所以再不能给那种人面兽心的家伙干，一定要自己闯天下。纽约中餐馆太多不好混，就到匹兹堡来了。在这里当大厨，但是给自己干。

有关我自己，还没有给你作个介绍。我插过队，到过兵团，当过工人，什么活都干过。照我看在美国当厨子是最累的。假如他做两顿饭的话，上午九点多就到店里了，收拾厨房，备菜，忙忙叨叨，到十点多就开炒，一直炒到一点多，收拾厨房，给员工做一顿饭，就到夜里两点多了，这是顺利的一天。假如有个把客人屁股沉，坐在店里不走，也不能撵人家走，顶多去多问几次：先生，您还要点什么？这样准弄到早上四点。假如卫生局来查店，那就要通宵挑灯大战。卫生局的还老来，逼得你撅着屁股钻到灶台下面用钢丝刷子刷油泥。据我统计，这些厨子每天总要干十五个钟点，烈火烤，油烟熏，而且没有星期天。要是给别人干，每月还可以向老板请两天假。给自己干就什么都没了。虽然外面是花花世界，也没工夫去看。与此同时，什么生命呀，青春哪，就如一缕青烟散去了。这么苦熬总要图个什么吧。× 厨里三个厨子，大厨快七十了，现在不是给儿子攒，是给孙子挣学费。一说起养活了一大堆儿孙，也蛮有自豪感。二厨坚持到月底，请了假就驱车直扑新泽西赌场，把钱输光了就回来。不管怎么说，这么活着也算有点刺激。只有这位老乡，前李老板，他自己也不知为什么要熬下去。

李老板说，他到匹兹堡来创业时，是三十多岁，光棍一条，上无父母，下无妻儿，一辈子苦惯了，也不觉得干活苦。这话有点不对头，他哪里来的这么高的觉悟？我还不明白的是他开餐馆，不懂英文成吗？一说到这里，我老乡就有点羞答答。原来他开餐馆时，是和个意大利女人搭一伙。有一阵他还能讲点意大利话，是在纽约学的。纽约唐人街就靠着小意大利，中国大厨认识意大利姑娘不稀奇。也不知怎么的，人家就和他私奔了。这件事有点浪漫色彩。奔到了匹兹堡，我老乡拿出毕生积蓄和吃奶的力气开起店来，那娘们只管收银。原来是爱情的力量支持他创业。除此之外，他还开了洋荤。我老乡说，就甭追问了，女人都是毒蛇，色字头上一把刀。

对于意大利，我也略有所知。意大利风光秀丽，意大利姑娘漂亮。我们到意大利去玩，被人偷走了钱包和相机。找警察报案，他说偷了就偷了，不偷你们外国人偷谁。咱们的同胞杨传广，到罗马参加奥运会，本来该拿金牌，被一个意大利姑娘瞟上，破了他的童子功，结果只拿了铜牌，金牌被意大利拿走了。这说明意大利人惯使美人计。杨传广是中华田径史上不世出的奇才，号称十项铁人，着上了还一败涂地，何况区区李老板。李老板说，开头那个意大利女人是真心跟他好，满嘴都是 sweet-heart。这件事也可能是真的。谁都知道中国饭好吃，厨房里难闻。炒一天菜，一身的油腥味，怎么洗都洗不去。再说，在美国做久了的厨子，脸色全惨黄，和熟透了的广柑皮相似。我很怀疑油烟会和脸皮起化学反应，产生深黄的生成物。再加上他一天要干十八小时活，到了床上准不大中用。假如有浪漫爱情，这些都算不了什么。但是他店里生意虽好，却缺少现钱。甚至到了没钱买菜，去买便宜货的地步。在美国干餐饮，最忌讳的就是这个，一片烂菜叶就能毁一个店。不像现在北京的小饭馆，见到农民大哥来吃饭，就把筋头巴脑大肥肉往菜里炒。到了这个地步，他该打听打听了。一打听就打听出来，这女人在外面开了个 pizza 店，店里还有个意大利裔的小白脸。我对我老乡说，这小白脸没准是从纽约跟来的。我老乡一听就翻了脸，差点拿菜刀砍我。

我在 × 厨做了两个月，却好像有好几年。因为总是没完没了地洗盘洗碗倒垃圾。除此之外，还有个虐待狂二厨，刻薄无比的老板周扒皮，老憋不住想啐他们一口。我每周只做两晚都度日如年，更何况李老板整天待在他以前拥有的店里。他未老先衰，手脚都慢；周扒皮说，收留他是做好事，所以不能给他太多工钱。因为以上原因，我老乡又来找我聊。

我俩下了班要去等公共汽车。黑更半夜的，一等就是一两个小时车不来。他发誓说，那个意大利姑娘原来对他是真心的，后来才变了。后来那个姑娘说，要离开他了，但是不要他的钱。除此之外，她还给他找了个老婆，是个秘鲁人。这女人也说不上是白人、黑人还是红种人，因为南美人血统最杂。他听不懂西班牙文，她听不懂中文，而美国通用的语言英文，两人都一窍不通。有件事不说话也能干，他们就干起来，孩子接二连三生出来。一个个黑又不黑，黄又不黄，简直奇形怪状。还有一桩古怪，那些孩子全讲他妈的话，一句中文也不讲。他一回家，就陷入无言的围观之中。这种气氛叫人毛骨悚然。只有揍哭几个，心里才能好受一点。他告诉我说，看着一屋小崽子，简直不知自己干了些什么。

我老乡告诉我说，那个意大利女人给他介绍了老婆，就离开了他的店，果然没拿一分钱。底下的事也不难想象，过了些时候，各种各样的人就拿了有他本人签字的有效文件出现了，那女人以 × 厨李老板的名义借了许多钱，把店卖了也还不清。这些字是他签的，可是他并不知道签了是干什么的。到了这地步，他还爱着她，觉得为了爱情损失了毕生积蓄，也算是个题目吧。直到有一天灵机一动，找了个懂西班牙文的中国人来盘问了一下他老婆，结果不出所料，这秘鲁人原本是个难民，没有绿卡，和李老板结婚的同时才拿到的。为了撮合这桩婚姻，那位可爱的意大利女人收了不少介绍费。知道了这件事后，他才不爱她了。

我离开 × 厨不久，李老板就被周扒皮开掉了。后来他就蹲在家里喝闷酒，因为他的确老了，没有中国饭馆肯雇他。这个故事也是老生常谈，我一直懒得把它写出来。现在忽然写了出来，乃是有感于坊间的各种美国故事。这故事的寓意是提醒诸君：假如你想到美国发财，首先最好是女人而不是男人；其次一定要去曼哈顿，千万别去别的地方。

前面提到 × 厨的老板叫周扒皮。这位仁兄长一张刀子脸，一看就是个刻薄人。他舍不得给员工好东西（当然也舍不得多给钱），大家恨他恨得要命。有人跑到厨房里，抓起生虾生鱼就吃，理由是不能便宜了周扒皮；但是结果是往往把自己泻到脸尖尖的。据说还有人在 × 厨的厨房里生吃鸡腿，连骨头都嚼成渣咽下了肚，但是我没看见，不能确认。有一回他去纽约几天，不在家里，门上被人用黄油漆大书“周扒皮”。那家餐馆后来变得七颠八倒，没个生计的模样。我在那里干得不长，就和周扒皮闹翻了，换了一家餐馆来干。这一家算是个老字号，有十来年的历史。老板和我岁数差不多，姓 Y。他那家店在一个犹太人聚居区，一点也不繁华。他也不作广告，所以除了住在那个社区的人，别人都不大知道。那是一座黑色的玻璃房子，假如门上不写那几个中国字，就不像中国餐馆。店里雇的人也杂得很，有中国人，韩国人，还有高鼻梁的美国人。原来他那家店是谁想去干都可以的。

有一回一个韩国女孩子，本人是艺术家，不缺钱的，却发现Y老板是个光棍汉，狠下心来到他店里刷了几个月的碗。但是Y老板装傻充愣地不上钩，气得那女孩背地里咬牙切齿地说他是pervert（性变态）。又过些日子，发现他还不来上钩，她就不来了。

Y老板的店堂里有一幅宣纸写的波罗蜜多心经。这段经文最通俗了，《西游记》里全文抄录，我十六岁时一张嘴就能带出几句来："揭啼！揭啼！波罗揭啼！"等。所以看了那经，也没有什么特殊的感觉，只是觉得Y老板怪逗的，还把它写了出来。后来有一天，有个新搬来的老犹太到店里来吃饭，Y老板炒完了菜，就跑出去和他聊起来，说起大家共同的地方——都要挣钱、吃饭，等等。最后说，大家都信教，只是你们信犹太教，我信佛，这经就是用我的血写的。该犹太一听，马上起来，对着经文立正，请Y老板给他念了一遍。临走时还和他握手说：Y老板，我很尊敬你，过几天介绍几个朋友来。后来才知道，这经还真是用Y老板的血写的，而且是舌头上割出的血。写完了经还剩了半碗，又写了几个大字"身为中国人而自豪"，挂在旁边。这里面没有一点玩世不恭的态度。他就是这么挺严肃地告诉洋人：作为中国人，我和你们不一样；但是作为人，和你们是一样的，完全可以信任。这也是一种生计。

这位Y老板同时也是大厨，炒四川菜和北京菜。我祖籍四川渠县，北京长大，依我看他炒得相当像川菜，又有点像京菜。就是这样，还常有客人说宫保菜里辣椒煳了。所以美国那地方把菜做地道了行不通。每天从早到晚，也是要干十五个钟点。据我所知，虽然入了美国籍，他在台湾也算个干部子弟哩。何况他在美国拿到了建筑学硕士学位，蛮可以找个建筑师的事干干。说实在的，给我他那份钱我要，让我干他的事我不干——在此顺便说说我自己，过去我也极能吃苦，十六岁就跑到云南去开荒，一天干十六七个钟点的时候都有。如此干了几年，临走时一看，没开出什么田来，反而把所有的山全扒坏了。一下雨又是泥又是水，好像在流屎汤子。从此就相当懒。从不给钱也拼命干变到不缺钱就不干——所以我就问他。他说干这个餐馆是应该的。有这么个店，就帮了好多人，当然也帮了他本人。当时在那个店里干活的人可真不少，还有国内名牌大学来的副教授呢。不过这个帮字听起来还是蛮别扭。

Y老板也知道剩余价值学说，所以他想让我说说在×厨的遭遇，就这么说：小波，谈谈你在周扒皮手下是怎么受压迫的——他就是不说受剥削。不过应该给他个知耻近勇的评价，因为他干起活来身先士卒，炒完了菜，就帮二厨倒垃圾，帮我刷碗，同时引吭高歌。当时他手下国内来的颇多，你猜猜他唱什么吧——大海航行靠舵手。唱完了还说：这歌不坏，有调。晚上打烊后，大鱼大虾炒一顿给大家吃，并且宣布：我是Y老板，不是周老板。他就是这么笼络员工的。

不管Y老板怎么看自己，我还要说他有一切老板的通病。假如没有客人来，前厅的女招待（都是留学生）找个地方坐下来，掏出课本来看，他就阴沉着脸。这种时候你必须站着，对准店外做个翘首以望的样子，他看了才喜欢。这是他小心眼的一面。也有手面大的一面：每年总有一天，他到公园里租一片地方，把一切在他店里做过的人和一切熟客、邻居都请来吃顿烤肉。他还能记住好多熟客的生日，在那些日子里，献上他免费的敬菜。他是做熟客生意的。所以每位客人都是他生活里不能忘记的一件事——他也希望自己和自己的店成为别人生活里不被遗忘的一件事。这是他的生计。要做到这一点，就要以礼待人，还要本分。

附言：这篇文章中的大部分内容是我亲耳听来的，我来担保到我耳朵以后的真实性。至于杨传广在罗马被人破了童子功以致痛失金牌，是在纽约的华文报纸看来的。我对体育一窍不通，人家怎么说，我就怎么信了。特此声明。

（本篇最初发表于1993年第四、五期《四川文学》杂志）

域外杂谈·住

人都是住在房子里，这是不易之理。是什么样的人就会住什么房子，恐怕有的人就体会不这么深了，这是因为房子是人造的，又是人住的。在美国，有些人住在apartment里面，有些人住在house里面，这两种东西很不一样。apartment是城里的公寓楼，和咱们的单元楼有点像。所不同的是楼道里铺了红地毯，门厅里坐了位管理员。再体面一点的楼，比方说，纽约城里五大道（Fifth Avenue）的公寓楼，门前就会有位体面的老先生，穿着红制服给客人拉车门。这样的地方我没去过，因为不认识里面的人。从车子来看，肯定是些大款。再有就是门前有网球场，楼顶上有游泳池。不过这也说明不了什么，只说明有钱——盖房子的花了钱，住房子的更有钱。钱这种东西，我们将来会有的，我对此很有信心。再有就是阳台上没有堆那些破烂——破木头、破纸板、破烟囱等，这说明什么我也不知道。有一次一位认识的法国姑娘指着北京阳台上那些伤风败俗的破烂说道：北京也是座大城市，这些楼盖得也不坏，住在这里的人应该很有体面，怎么这些房子弄得像贫民窟一样？我没接她的茬。

说到了 apartment，我就想起了巴黎市中心的楼房。那里面不一定是公寓房子，但是看上去有点像公寓楼房。灰白色的石块砌的，铅皮顶，镂花的铁窗栏，前面是石块铺的街道。到底好在哪里说不出来，但是确实好看。据此你就可以说，巴黎是一座古城，是无与伦比的花都。北京原来也是一座无与伦比的古都，它的魅力在于城墙。在美国遇到了一位老传教士，他在中国住了很多年，一见我就问起北京的城墙。我告诉他已经拆了，他就露出一种不想活了的模样。

至于 house，那是在郊区或者乡下的一座房子，或者是单层，或者是两层，里面住了一家人，house 这个词，就有家的意思。但是没有院墙。我向你保证，假设门前绿草成茵，屋后又有几棵大树，院墙那种东西就是十足讨厌。不但妨碍别人看你的花草，也妨碍自己看风景。几摊烂泥，几只猪崽子，当然不成立为风景，还是眼不见为净。不过我没在外国的 house 附近见过烂泥和猪崽子。当然，这些东西哪里都会有，但是欧美人不乐意它在家附近出现。假如我对这类事态理解得对的话，house 这个词，应该译为家园，除了房子，还有一片开放的环境。会盖深宅大院的，不过是些有钱的村牛罢了。

美国的 house 必有一片草坪，大可以有几百亩，小可以到几平方米。不过大有大的坏处，因为草坪必须要剪。邻居有个家伙实在懒得弄，就用碎树皮把它盖起来，在上面种几棵罗汉松。这样看上去也不坏，有点森林气氛。绝对没人把草拔光了，把光光的地皮露出来，叫它下雨时流泥汤子。谁要动土盖房子，就要先运来卵石把挖开的地面盖上。这是因为边上有别人的 house。

有的人的 house 有池塘，还有的人有自己大片的湖，湖水舀上来不用消毒就可以喝。不过这些就越扯越远。美国也有的地方地皮紧张，把房子盖在山上，但是不动山上的树，也不动山上的草，把房子栽到山上。然后山还是那座山，树还是那些树，属人、鸟、兽共有，不像咱们这里把什么都扒得乱糟糟，像个乱葬场。这样的事和贫富没什么大关系，主要是看你喜欢住在什么地方。顺便说一句，在美国大多数地方，小松鼠爬到窗台上是常有的事。

但是在热爱家园方面，美国佬又何足道哉。欧洲人把家弄得更像样。世界上最好的 house 是在奥地利的萨尔兹堡附近的山区，房龙就是这么说的。我认为他说得有道理。造起这些房子的不是什么富人，不过是些山区的农民罢了。我去看时，见到那房子造在枞树林里。但是有关这些房子的事不能细讲，一讲我就心里痒痒，想到奥地利去连树林带房子都抢回国来。只能讲这样的一件事：我在林子边上见到一条通到农民家的小路，路上铺了一种发泡的碎石头，一尘不染。那条路铺石板或铺别的东西就没那么好看了。不过我以为荷兰的牧场、风车、沟渠、运河等，也是一片美丽的家园，不在奥地利之下。德国的海德堡在内卡河畔，河上有座极美丽的桥。有个洋诗人写道：老桥啊，你多次承载了我！再接下去就说他要死在桥上。剑桥镇边有个拜伦塘，虽然只是荒郊野外的一个小池塘，但是和上个世纪拜伦勋爵跳到塘里游泳时相比，池岸上一棵草都没有少。到处绿草茵茵，到处古树森森，人到了这种地方，就感到住在这里的人对这片环境的爱心，不敢乱扔易拉罐。而生在这里的人也会爱护这里的一草一木，挖动一片泥，移动一块石头都会慎重。人不爱自己的家就无以为人，而家可不止是房门里那一点地方。

（本篇最初发表于1993年第五期《四川文学》杂志）

域外杂谈·农场

什么地方只要有了中国人，就会有中国餐馆，这是中国人的生计。过去在美国见到的绝大多数中国人都和餐馆有关系。现在不一样了。有的人可能是编软件的，有的人可能是教书的，但是种类还是不多。物理学说，世间只有四种力：强力、弱力、电磁力和万有引力。中国人在外的生计种类也不比这多多少。这些生计里不包括大多数中国人从事的那一种：种地。这是因为按照当地的标准，中国人都不会种地。刚到美国，遇到了一个美国老太太，叫沃尔夫，就是大灰狼的意思。她是个农民，但是不想干了，叫我教她中文，她要到中国来教书。我教她中文，她就教我英文，这是因为她拿不出钱来做学费。但是这笔买卖我亏了。我教了她不少地道的北京话，她却找了几本弥尔顿的诗叫我抑扬顿挫地念。念着念着，我连话都不会说了。沃尔夫老太太有英美文学的学位，但是她教给我的话一出口，别人就笑。这倒不是因为她的学位里有水分，而是因为时代在前进。在报纸上看到哈佛大学英美文学系老师出个论文题：论《仲夏夜之梦》。学生不去看莎翁的剧本，却去找录像带看。那些录像带里女孩子都穿超短裙，还有激光炮。沃尔夫老太太让我给她念杨万里的诗，念完以后，她大摇其头，说是听着不像诗。我倒知道古诗应当吟诵，但我又不是前清的遗老，怎么能会。我觉得这位老太太对语言的理解到中国来教英文未必合适。最后她也没来成。

现在该谈谈沃尔夫老太太的生计——认识她不久，她就请我到她农场上去玩，是她开车来接的。出了城走了四个多小时就到了，远看郁郁葱葱的一大片。她告诉我说，树林子和宅地不算，光算牧场是六百多英亩，合中国亩是三四千亩。在这个农庄上，总共就是沃老太太一个人，还有一条大狗和两千多只羊。我们刚到时，那狗跑来匆匆露了一面，然后赶紧跑回去看羊去了。沃尔夫老太太说，她可以把农场卖掉。这就是说，她把土地、羊加这只狗交给别人，自己走人，这是可以的。但是这只狗就不能把农场卖掉——换言之，这只狗想把土地、羊加沃尔夫老太太交给别人，自己走掉就万万不能，因为老太太看不住羊。这个笑话的结论是农场上没有她可以，没有它却不成。当然，这是老太太的自谦之词。车到农场，她就说：要把车子上满油，等会出去时忘了可找不到加油站。于是她把车开到地下油库边上，用手泵往车里加油，摇得像风一样快。我替她摇了一会儿，就没她摇得快，还觉得挺累。那老太太又矮又瘦，有六十多岁。我是一条彪形大汉，当时是三十五岁。但是我得承队，我的臂力没有她大。她告诉我说，原来她把汽油桶放在地面上，邻居就说有碍观瞻。地方官又来说，不安全。最后她只得自己动手建了个地下油库，能放好几吨油。我觉得这话里有水分：就算泥水活是她做的，土方也不能是她挖的。不过这话也不敢说死了，沃尔夫老太太的手像铁耙一样。后来她带我去看她的家当，拖拉机、割草机，等等。这么一大堆机器，好的时候要保养，坏了要修，可够烦人的了。我问她机器坏了是不是要请人修，她就直着嗓子吼起来：请人？有钱吗？

后来我才知道，沃尔夫老太太这样的农妇带有玩票的性质，虽然她有农学的学位，又很能吃苦耐劳，但毕竟是个老太太。真正的个体劳动者，自己用的机器坏了，送给别人去修就是耻辱。不仅是因为钱被人赚走了，还因为承认了自己无能。后来我们到一位吊车司机家做客，他引以为自豪的不是那台自己的价值三十万美元的吊车，而是他的修理工具。那些东西都是几百件一套的，当然我们看了也是不得要领。他还说，会开机器不算一种本领，真正的本领是会修。假如邻居或同行什么东西坏了请他修，就很光荣。而自己的家什坏了拾掇不了要请别人，就很害臊。总而言之，这就是他的生计。他在这方面很强，故而得意扬扬。在美国待了几年，我也受到了感染。我现在用计算机写作，软件是我自己编的，机器坏了也不求人，都是自己鼓捣。这么干的确可以培养自豪感。

沃尔夫老太太有三个女儿，大女儿混得很成功，是个大公司驻日本的代表。这位女儿请她去住，她不肯，说没有意思。我在她家里看到了男人的袜子，聊天时她说到过还有性生活，但是她没和别人一块住。照她的说法，一个人一只狗住在一个农场上是一种理想的生活方式。不过她也承认，这几年实在是有点顶不住了。首先，要给两千只羊剃毛，这件事简直是要累死人。其次，秋天还要打草。除此之外，环绕她的牧场有十几公里的电网，挡住外面的狼（更准确地说是北美野狗）和里面的羊，坏了都要马上修好，否则就不得了啦。等把这些事都忙完就累得七死八活。当时正是深秋，她地上有十几棵挺好的苹果树，但是苹果都掉在地上。她还种了些土豆，不知为什么，结到地面上来了。晚饭时吃了几个，有四川花椒的味道——麻酥酥的。我很怀疑她的土豆种得不甚得法，因为土豆不该是这种味道。远远看去，她那片墨绿色的牧场上有些白点子。走近了一看，是死羊。犄角还在，但是毛早被雨水从肢体上淋下来，大概死了有些日子了。面对着这种死羊，老太太面露羞愧之色，说道：应该把老羊杀死，把皮剥下来。老羊皮还能派上用场，但是杀不过来。除此之外，她也不知道自己有多少只羊。因为那些羊不但在自己死掉，还在自己生出来。好在还有 Candy（她那只狗）知道。Candy 听见叫它名字，就汪汪地叫，摇摇尾巴。我在沃尔夫老太太农场上见到的景象就是这样的。

在美国我结识了不少像沃尔夫老太太这样的人——个体吊车司机、餐馆老板、小镇上的牙医等，大家本本分分谋着一种生计，有人成功，有人不成功。不成功的人就想再换一种本分生计，没有去炒股票，或者编个什么故事惊世骇俗。这些人大概就叫人民吧。美国的政客提到美国富强的原因，总要把大半功劳归于美国高素质的人民，不好意思全归因于自己的正确领导。回了中国，我也尽结识这样的人。要是有人会炒股票，或者会写新潮理论文章，我倒不急于认识。这大概是天性使然吧。

（本篇最初发表于 1993 年第五期《四川文学》杂志）

域外杂谈·盗贼

出门在外，遇上劫匪是最不愉快的经历。匹兹堡虽然是一座比较安全的城市，但也有些不学好的男孩子，所以常能在报上看到抢劫的消息。奇怪的是我们在那里留学的头两年，从来没听说过中国人遭劫。根据可靠消息，我们都在李小龙的庇护之下。这位仁兄虽然死去好几年了，但是他的功夫片仍然在演。

谁都能看出李小龙的厉害之处——在银幕上开打之前，他总是怪叫一声，然后猛然飞出一腿。那些意图行劫的坏蛋看到了，就暗暗咬指道：我的妈！遇上这么一腿，手里有枪也不管用。外国人看我们，就像我们看他们一样，只能看出是黑是白是黄，细微的差别一时不能体会。所以在他们看来，我们个个都像李小龙。

这种情形很快就发生了变化，起因是一九八四年的国庆招待会。那一天我们中国留学生全体出动，占住了学校的大厅，做了饺子、春卷等食品来招待美国人。吃完了饭，人家又热烈欢迎我们表演节目。工学院的一个小伙子就自告奋勇，跳上台去表演了一套“初级长拳”，说是中国功夫。照我看他的拳打得还可以，在学校的体育课上可以得到四分以上，不过和李小龙的功夫相比，还有很大差距。当场我就看到在人群里有几个小黑孩在扁嘴，好像很不佩服。这种迹象表明不幸的事情很快就要发生，后来它就发生了。

我们那座楼里住了七八个中国人，第一个遭劫的是楼下的小宋。这位同学和我们都不一样，七七年高考时，他一下考取了两个学校，一个是成都体院，一个是东北工学院。最后他上了东北工学院，但是他完全有资格当运动员。因此他就相当自负。

晚上到系里做实验，他完全可以开车去，但是他偏要走着去，穿过一大片黑洞洞的草坪，草坪边上还有树林子。我们都劝他小心点，他说不怕，打不过可以跑。这位朋友的百米速度是十一秒几，一般人追不上的。有一天夜里一点多钟，他跑回家里说遭劫了，劫匪是两个人，一个个高，一个个矮，全是黑孩子。遭劫的地点离家很近，这两个家伙估计还没走远。我们楼里也有四五个男人，听了都很气愤，决心出去找那两个家伙算账，甚至还找出了一根打棒球的棍子，想拿着去。临出门时我问小宋：

“你跑得快，怎么不跑呢？”

他说那个个高的家伙手里拿了一支手枪。虽然他又补充说，那枪不像是真的，但是大家都认为不该冒险出去。除此之外，还抱怨小宋为什么不早说对方有枪。大家离家好几万公里，家里人对我们又寄予厚望，千万别有个好歹。

过了几天，我也遭了劫。劫匪只有一个，手里也没有枪。他是个白人小伙子，身材没有我高，身体没有我壮，还有点病歪歪的。按说该是我劫他才对，但是我的确被他劫了。对这件事唯一的解释就是：我在不知不觉之中被他劫了。当时天还没大亮，我到公园里去运动。公园在一个山谷里，要经过一个木制的扶手梯，我就在那儿遇上了他。他对我说：伙计，给我点钱。我告诉他说：我没带钱。他说：让我看看你的钱包。(混账！你凭什么看我的钱包？)我说：我没带钱包。他说：那你兜里鼓鼓囊囊的是什么？（岂有此理，你管得着吗？）我说：那是一盒烟。他说：我就是要向你要根烟。我就给了他烟，借这个机会他也看了我的口袋，里面的确没有钱包。分手之后跑了一百多米，我才想到这是打劫。顺便说一句，括弧里的话都是我后来想起来的。我当时很胖，所有的腰带都不能用了，正在跑步减肥，所以心没往别处想。当然，你要硬说我胆怯了，没敢嚷嚷，我也没话可讲。后来知道，那个公园里有人卖毒品。所以我见到的那家伙十之八九是瘾发了，想找我要钱买根大麻杀杀瘾。还有人说，遇上那种瘾急了的家伙，最好给他点钱，否则他会扎你一刀，或者咬你一口。我想这也不是闹着玩的，所以以后我早上跑步都绕着那个公园。

后来有一阵子，匹兹堡的坏家伙专劫中国人，因为他们听说中国学生没有信用卡，身上总有现金。遇劫的人越来越多，工学院的一位兄弟被劫时，还想给劫匪讲讲理想、人生之类，打算做点感化工作，结果被人家打了一拳，口眼㖞斜。不过那班家伙从来不劫女生，这说明盗亦有道。但是后来出了例外，被劫的是医学院的小夏，她是匹兹堡最美丽的花朵，中国人的骄傲，也就是说，她长得漂亮极了。这件事的经过照她讲来是这样的，那天晚上十一点左右，她和丈夫在电影院看完电影出来等公共汽车，忽然从黑地里闪出了三条黑人大汉，手持亮闪闪的手枪，厉声喝道：这是打劫！然后就要看他们的钱包。把两个钱包都看过，把钱取走之后，公共汽车来了。那三个劫匪挥舞着手枪上了车——在这种情形之下，他们当然没兴趣上同一辆车接着看热闹，就坐下一班车回家了。根据这种说法，他们被劫实属无奈。她丈夫是个白面书生，不是三条黑人大汉的对手。更何况对方有枪，就算是穆铁柱被手枪打上一下，恐怕也要有损健康。

但是还有另一种说法。当时有一个中国人在离他们不远的另一个汽车站候车，据他说情形是这样的，晚上十一点多，电影散场了，那条街上没有什么人。小夏和她丈夫在那里候车时，站上有三条黑人大汉，没有藏在黑地里。那三个人穿得是有一点流气，但没有手持手枪，肩上倒扛了个长条状的东西，但既不是机关枪，又不是火箭筒，只是一架录音机。人家在那里又唱又扭，但是小夏他们没来由地发起抖来，隔着马路就听见牙齿打架。我想这和当时有很多人遭了劫有关，也可能和汽车老不来有关。总而言之，又过了一会儿，小两口就开始商量：去问吧？等一会儿。还是去问问？好吧。于是小夏就走到那几位黑兄弟面前，问道：请问你们是不是要打劫？那几个人愣了一会儿，就阴阳怪气地笑起来：对了，我们是要打劫！小夏又说：那你们一定要看我们的钱包了？那些人笑得更厉害：对对，把你们的钱包拿出来！！

小夏说：钱包在这儿。人家把钱拿走，把钱包还给她，说一声：Thank you！就又唱又扭地找地方喝酒去了。这两种说法里我相信后一种，因为那个电影院离警察局很近，警车没地方停时就停在电影院的停车场。美国的警察大叔屁股上总挎着枪，见到劫匪可以朝他们身上打。谁要在那里打劫，一定是身上很痒，想被短鼻子左轮打上一枪。但是你要一心想送钱给人家，人家也不便拒绝。我想自打出了这样的事，我们不但有了身上有现金的名声，还有了非常好劫的声誉，所以遇劫的人就越来越多，仿佛全美的劫匪都到了匹兹堡。但是被劫的情形却越来越少有人提起。这就使人很好奇。匹兹堡的中国留学生里有一位老金，这位仁兄和我们不一样的地方是他是老大学生，比我们大很多。所以他一听说有人遭了劫，就说：你们年轻人不行！另外，他是朝鲜族，所以有时还说：你们汉族同学胆太小，净惯那些人的毛病。要是碰见我，要钱没有，要命有一条！这些话叫人听了很不舒服，但是谁也不能反驳他。老金有一项光荣的纪录，他在欧洲旅行时，有次遇上了持刀劫匪，他就舞动照相机的三脚架和对方打了起来，把劫匪打跑了。但是光有这项纪录还不能让人服气。我不能说自己盼着老金遇上持枪劫匪冒生命的危险，但是我的确希望，假如遇上了那种人，老金能在劫匪的枪口下给我们“年轻人”树立一个不畏强暴的典范。后来果然有一天，有人在一家超级市场门前见到了老金，只见他手抖得一塌糊涂，嗓子里咯咯乱响，完全不正常。

那人就把他搀到车里坐下，弄桶可乐给他喝了。然后一打听，老金果然遭了劫。不过情形和我们指望的不大一样。当时他正在店里逛，口渴了，就到自动售货机去买杯可乐。那地方挺偏僻。忽听“砰”的一声响，售货机后跳出个劫匪。那是个小黑孩，只有十二三岁的样子，手持一把小小的螺丝刀，对准了老金，奶声奶气地叫道：打劫！掏钱！！老金脑子里一炸，只听见自己怪叫了一声：滚蛋！滚回家去！吓得那孩子“哇”的一声跑了。吓退了劫匪，老金还气得要命，几乎发了羊角风。

后来匹兹堡的警察抓住了两个劫匪，在大学里开了新闻发布会，以后劫案就没有了。这两个劫匪就是当初劫了小宋的那两个家伙。被劫了的人都说是被这两个家伙劫了，但我不大相信。就我个人而言，我遭劫那次，就不是这两个人所为。现在我想，人活在世界上有两大义务，一是好好做人，无愧于人生一世。这一条我还差得远。另一条是不能惯别人的臭毛病，这一条我差得更远。这一条我们都差得太远了。举个例子来说吧，我住的地方（我早就回国来了）门前一条马路，所有的阴沟盖全被人偷走了。这种毛病完全是我们惯出来的。

（本篇最初发表于 1993 年第九期《四川文学》杂志）

域外杂谈·行

我们（我和我太太）在美国做学生时，有一年到欧洲去旅行，这需要订美国到欧洲的来回票，还要订欧洲的火车票。这件事说起来复杂，办起来却非常简单。我们俩到学校办的旅行社去，说明了我们的要求，有一位小姐拿起电话听筒来说，你们是要最便宜的票，对吧。然后就拨了几个电话，一切都订妥了。去时乘科威特航空公司的飞机，回来时到比利时乘美国的“人民快航”，在欧洲用欧洲铁路通票。我们只消在约定的时间，前往美国和欧洲的几个旅行机构，就可以取到一切需要的票证，完成经过十几个国家，历时一个月的旅行。这种订票的方式还是最麻烦的，假如我们有信用卡，就可以不去学校的旅行社，在家里打几个电话把一切票订好。这是六七年前的事，现在大概还是这样的吧。

我太太最近到非洲去开了一个国际会议——具体开的什么会，去了哪个国家，在这里就不说了。会议的议题很重要，参加会议的也是高水平的学者和活动家，从这个意义上说，会议的质量很高。但要说会议的组织，恐怕就不能这样评价。她认为自己做了一次艰巨的旅行，我也同意这种看法。首先，前往开会的地点就很不容易。这是因为来回机票都是会议组委会给订，对方来了一个电传，告知航班的日期、换机地点等，却没告诉是什么航空公司。给非洲的组委会打电话，却怎么也打不通。于是她就跑遍了全北京一切航空公司去打听是否有这么一张票，当然重点怀疑对象是非洲的航空公司，但是没有打听到。然后她又给非洲的组委会打电话和电传，还是打不通。从这种情形来看，她后来能够出席那个会议，纯属偶然。

等到她从非洲回来之后，告诉我当地的电话的情形是这样：当地是有电话的，比方说，她们开会的会场——一所大学，就有唯一的一部电话在门房里。假如有人给会议代表打电话，在理论上就会有一个人从门房出来，跑到宿舍，找到代表的房间叫她去接电话，这个过程大约需要一小时，与此同时，对方手拿听筒在等待。假如是越洋电话的话，电话费就要达到天文数字。但是门房里根本就没人专管听电话，所以这种事不会发生。而从非洲发出的电传看起来就如一群蚊子在天上形成的图案一样，很不容易看明白，可以想象传到那里的电传也是这样的。这就使别人几乎无法和他们联系。这样有好处，也有不好处。好处是你不会在凌晨五点被叫起来听一个由你付款的电话，这是一位去度假的同学打来的，他忘了交论文或者交学费，总之，你得替他跑一趟；坏处是外面的人没法和他们做生意。我太太说，那地方虽然是一个国家的首都，却没有什么工商业，好像一个大集市。我想这不足为怪。

那张机票的事是这样的：组委会是给我太太订了票，但却和别人订在了一起，并且用了别人的名字，所以怎么查也查不出。

考虑到中国有十几亿人口这一现实，我太太最后找到了这张票并且去了非洲，实属奇迹。但是因为票来得太晚，种的疫苗还没生效，所以是冒着生霍乱和黄热病的危险去的。到了当地，一面开会，一面为回程机票而奔忙。会议的工作人员是一些和蔼可亲的非洲大婶，不管你问到谁，都告诉你应该去找另外一个谁。

机场的工作人员则永远说，你明天再来吧，问题肯定能解决。所有这些大叔大婶，工作都很辛苦，热汗直流。那些来自亚非拉的代表们，个个也是热汗直流。我不知最后她是怎么回来的，她自己也不知道。作为一个学者和作者，各种各样的经历都对她有益，所以有必要的话，她还会去那个国家。但假如是一位视时间为金钱的商人，恐怕就不会得到这样的结论。

我老婆学会了一句非洲话，不知是哪一国的，反正非洲人都能听懂："哇呀哇呀哇呀！"据说是进步的意思。"哇呀哇呀哇呀阿非利加"就是"非洲，进步呀"。晚上大家跳土风舞时，就这样喊着。看起来哇呀哇呀哇呀十分必要。我们国家的通信、旅行条件，大概比东非国家好，但和世界先进水平比，还是很差。让我们也高呼：哇呀哇呀哇呀，China！

（本篇最初发表于1994年第一期《山西青年》杂志，发表时题目为"走进现代空间"。）

文化的园地

我在布鲁塞尔等飞机，等“人民快航”。现在的人大概记不得人民快航（People’s Express）了，十年前它在美国却是大名鼎鼎，因为它提供最便宜的机票，其国内航班的票比长途车票还要便宜。其国际航班肯定要比搭货船过海便宜——就算你搭得到，在船上也要吃东西，这笔开销也不小——我乘它到了欧洲，还要乘它回去。很遗憾的是，这家航空公司倒掉了。盛夏时节，欧洲到处是蓝色的人流，大家穿着蓝色的牛仔裤，背着蓝色的帆布包，包上搭着一条小凉席，走到哪儿睡到哪儿，横躺竖卧，弄得候车室、候机厅都像停尸房一样。现在的北京街头也能看到这些人：头发晒得褪了色，脸上晒出了一脸的雀斑，额头晒得红彤彤的，手里拿着旅游地图认着路。只是形不成人流。但我是在这个人流里游遍了欧洲。

穷人需要便宜的食宿和交通，学生是穷人中最趾高气扬的一种：虽然穷，但前程远大。当时我就是个学生，所以兴高采烈地研究学生旅游书里那些省钱的法子：从纽约市中心前往肯尼迪国际机场，有直通的机场 bus，但那本书却建议你乘地铁前往昆士区的北端，再坐昆士区的公共汽车南下。这条路线在地图上像希腊字母欧米伽。那本书这样解释这个欧米伽：要尽量利用城市的公共交通，这种交通工具在世界上任何地方都是便宜的。书上还教你填饱肚子的诀窍：在纽约，可以走进一家中餐馆，要一碗白饭，用桌上的酱油下饭；在巴黎，你可以前往某教堂门口，那里有舍给穷人喝的粥；在布鲁塞尔，这个诀窍是在下午五点以后前往著名的餐饮城City2，稍微给一点钱，甚至不给钱，就可以把卖剩下来的薯条都包下来。这种薯条又凉、又面，但还可以填饱肚子。这些招儿我没有用过，就是用了也不觉得害臊：我是学生嘛。

我到布鲁塞尔时，已是初秋。这个季节北欧上空已是一片阴风惨雾，不宜久留，该干啥快去干啥，所以我在机场等飞机。忽然间肠胃轰鸣，那本旅游书上又没有在布鲁塞尔机场找便宜厕所的指导，我只好进了收费厕所。这地方进门要一个美元，合四十比利时法郎，在我印象中，这是全世界的最高价。走进格间，把门一关，门上一则留言深得我心：啊，我的心都碎了……看来是个愤世嫉俗的美国小伙子留在这儿的。他心碎的原因有二：一是被人宰了一刀，二是把自己的问题估计得严重了。至于我，虽然问题是严重的，必须立即解决，不能带上飞机，但也觉得收一美元实在太多。但仔细一看，不禁冷汗直冒，这行字被人批得落花流水——周围密密麻麻用各种字体写着：没水平——没觉悟——层次太低。这行字层次低，却引起了我的共鸣，我的层次也高不了……

我在布鲁塞尔等飞机，去了一趟收费厕所，不想走进了一个文化的园地。假如我说，我在那里看到了人文精神的讨论，你肯定不相信。但国外也有高层次的问题：种族问题，环境问题，“让世界充满爱”，还有“I have a dream today”，四壁上写得满满的，这使我冷汗直冒，正襟危坐——坐在马桶上。我相信，有人在这里提到了“终极关怀”，但一定是用德文写的。那地方德文的题字不少，我看不懂。大概还有人提到了后现代，但我也看不懂。那一定是用法文写的，我又不懂法文。那里还有些反着写的问号，不知写些什么。中文却没有，大概是因为该园地收费太贵，同胞们不肯进来——我是个例外。我住了一家学生旅馆，提供免费的早餐：面包片和人造黄油，我把黄油涂得比面包片还要厚，所以跑到这里来了。用英文写出的，大多是些虽很重要但比较浅薄的问题。比方说，有位先生写道：保护环境。后面就有人批了一句：既然要保护环境，就不要乱写。再以后，又有一句批语：你也在乱写。我很想给他也批上一句：还有你。但又怕别人再来批我。像这样批下去，整个世界都会被字迹批满，所有的环境都要完蛋。还有不少先生提出，要禁止核武器。当时冷战尚未结束，两个核大国在对峙之中。万一哪天走了火，大家都要完蛋。我当然反对这种局面。我只是怀疑坐在马桶上去反对，到底有没有效力。

布鲁塞尔的那个厕所，又是个世界性的正义论坛。很多留言要求打倒一批独裁者，从原则上说，我都支持。但我不知要打倒些谁：要是用中文来写，这些名字可能能认出个把来，英文则一个都不认识。还有些人要求解放一些国家和地区，我都赞成，但我也不知道这些地方在哪里。除此之外，我还不知道我——一个坐在马桶上的人，此时可以为他们做些什么。这些留言都用了祈使句式，主要是促成做一些事的动机——这当然是好的，但这些事到底是什么、怎样来做、由谁来做，通通没有说明。这就如我们的文化园地，总有人在呼吁着。呼吁很重要，但最好说说到底要干些什么。在那个小隔间里，有句话我最同意，它写在“解放萨尔瓦多”后面：要解放，就回去战斗吧。由此我想到：做成一件事，需要比呼吁更大的勇气和努力。要是你有这些勇气和精力，不妨动手去做。要是没这份勇气和精力，不如闭上嘴，省点唾沫，使厕所的墙壁保持清洁。当然，我还想到了，不管要做什么，都必须首先离开屁股下的马桶圈。这很重要。要是没想到这一点，就会误掉班机。

（本篇最初发表于 1996 年第十七期《三联生活周刊》杂志）

自然景观和人文景观

我到过欧美的很多城市，美国的城市乏善可陈，欧洲的城市则很耐看。比方说，走到罗马城的街头，古罗马时期的竞技场和中世纪的城堡都在视野之内，这就使你感到置身于几十个世纪的历史之中。走在巴黎的市中心，周围是漂亮的石头楼房，你可以在铁栅栏上看到几个世纪之前手工打出的精美花饰。英格兰的小城镇保留着过去的古朴风貌，在厚厚的草顶下面，悬挂出木制的啤酒馆招牌。我记忆中最漂亮的城市是德国的海德堡，有一座优美的石桥架在内卡河上，河对岸的山上是海德堡选帝侯的旧宫堡。可以与之相比的有英国的剑桥，大学设在五六百年前的石头楼房里，包围在常春藤的绿荫里——这种校舍不是任何现代建筑可比。比利时的小城市和荷兰的城市，都有无与伦比的优美之处，这种优美之处就是历史。相比之下，美国的城市很是庸俗，塞满了乱糟糟的现代建筑。他们自己都不爱看，到了夏天就跑到欧洲去度假——历史这种东西，可不是想有就能有的呀。

有位意大利的朋友告诉我说，除了脏一点、乱一点，北京城很像一座美国的城市。我想了一下，觉得这是实情——北京城里到处是现代建筑，缺少历史感。在我小的时候就不是这样的，那时的北京的确有点与众不同的风格。举个例子来说，我小时候住在北京的郑王府里，那是一座优美的古典庭院，眼看着它就变得面目全非，塞满了四四方方的楼房，丑得要死。郑王府的遭遇就是整个北京城的缩影。顺便说一句，英国的牛津城里，所有的旧房子，屋主有翻修内部之权，但外观一毫不准动，所以那座城市保持着优美的旧貌。所有的人文景观属于我们只有一次。假如你把它扒掉了，再重建起来就不是那么回事了。

这位意大利朋友还告诉我说，他去过山海关边的老龙头，看到那些新建的灰砖城楼，觉得很难看。我小时候见过北京城的城楼，还在城楼边玩耍过，所以我不得不同意他的意见。真古迹使人留恋之处，在于它历经沧桑直至如今，在它身边生活，你才会觉得历史至今还活着。要是可以随意翻盖，那就会把历史当作可以随意捏造的东西，一个人尽可夫的娼妇；这两种感觉真是大不相同。这位意大利朋友还说，意大利的古迹可以使他感到自己不是属于一代人，而是属于一族人，从亘古到如今。他觉得这样活着比较好。他的这些想法当然是有道理的，不过，现在我们谈这些已经有点晚了。

谈过了城市和人文景观，也该谈谈乡村和自然景观——谈这些还不晚。房龙曾说，世界上最美丽的乡村就在奥地利的萨尔兹堡附近。那地方我也去过，满山枞木林，农舍就在林中，铺了碎石的小径一尘不染……还有荷兰的牧场，弥漫着精心修整的人工美。牧场中央有放干草的小亭子，油漆得整整齐齐，像是园林工人干的活；因为要把亭子造成那个样子，不但要手艺巧，还要懂得什么是好看。让别人看到自己住的地方是一种美丽的自然景观，这也是一种做人的态度。

谈论这些域外的风景不是本文主旨，主旨当然还是讨论中国。我前半辈子走南闯北，去过国内不少地方，就我所见，贫困的小山村，只要不是穷到过不下去，多少还有点样。到了靠近城市的地方，人也算有了点钱，才开始难看。家家户户房子宽敞了，院墙也高了，但是样子恶俗，而且门前渐渐和猪窝狗圈相类似。到了城市的近郊，到处是乱倒的垃圾。进到城里以后，街上是干净了，那是因为有清洁工在扫。只要你往楼道里看一看，阳台上看一看，就会发现，这里住的人比近郊区的人还要邋遢得多。总的来说，我以为现在到处都是既不珍惜人文景观，也不保护自然景观的邋遢娘们邋遢汉。这种人要吃，要喝，要自己住得舒服，别的一概不管。

我的这位意大利朋友是个汉学家。他说，中国人只重写成文字的历史，不重保存环境中的历史。这话从一个意大利人嘴里说出来，叫人无法辩驳。人家对待环境的态度比我们强得多。我以为，每个人都有一部分活在自己所在的环境中，这一部分是不会死的，它会保存在那里，让后世的人看到。在海德堡，在剑桥，在萨尔兹堡，你看到的不仅是现世的人，还有他们的先人，因为世世代代的维护，那地方才会像现在这样漂亮。和青年朋友谈这些，大概还有点用。

（本篇最初发表于 1996 年第五期《辽宁青年》杂志）

打工经历

在美留学时，我打过各种零工。其中有一回，我和上海来的老曹去给家中国餐馆装修房子。这家餐馆的老板是个上海人，尖嘴猴腮，吝啬得不得了；给人家当了半辈子的大厨，攒了点钱，自己要开店，又有点烧得慌——这副嘴脸实在是难看，用老曹的话来说，是一副赤佬相。上工第一天，他就对我们说：我请你们俩，就是要省钱，否则不如请老美。这工程要按我的意思来干，要用什么工具、材料，向我提出来，我去买。别想揩我的油……

以前，我知道美国的科技发达，商业也发达，但我还不知道，美国还是各种手艺人的国家。我们打工的那条街上就有一大窝，什么电工、管子工、木工，等等，还有包揽装修工程的小包工头儿，一听见我们开了工，就都跑来看。先看我们抡大锤、打钎子，面露微笑，然后就跑到后面去找老板，说：你请的这两个宝贝要是在本世纪内能把这餐馆装修完，我输你一百块钱。我脸上着实挂不住，真想扔了钎子不干。但老曹从牙缝里啐口唾沫说：不理他！这个世纪干不完，还有下个世纪，反正赤佬要给我们工钱……

俗话说，没有金刚钻，别揽瓷器活。要是不懂怎么装修房子就去揽这个活，那是我们的错。我虽是不懂，但有一把力气，干个小工还是够格的。人家老曹原是沪东船厂的，是从铜作工提拔起来的工程师，专门装修船舱的，装修个餐馆还不知道怎么干吗？他总说，当务之急是买工具、租工具，但那赤佬老板总说，别想揩油。与其被人疑为贪小便宜，还不如闷头干活，赚点工钱算了。

等把地面打掉以后，我们在这条街上赢得了一定程度的尊敬。顺便说一句，打下来的水泥块是我一块块抱出去，扔到垃圾箱里，老板连个手推车都舍不得租。他觉得已经出了人工钱，再租工具就是吃了亏。那些美国的工匠路过时，总来聊聊天，对我们的苦干精神深表钦佩。但是他们说，活可不是你们俩这种干法。说实在的，他们都想揽这个装修工程，只是价钱谈不拢。下一步是把旧有的隔断墙拆了。我觉得这很简单，挥起大锤就砸——才砸了一下，就被老板喝止。他说这会把墙里的木料砸坏。隔断墙里能有什么木料，不过是些零零碎碎的破烂木头。但老板说，要用它来造地板。于是，我们就一根根把这些烂木头上的钉子起出来。美国人见了问我们在干什么，我如实一说，对方捂住肚子往地下一蹲，笑得就地打起滚来。这回连老曹脸上都挂不住了，直怪我太多嘴……

起完了钉子，又买了几块新木料，老板要试试我们的木匠手艺，让我们先造个门。老曹就用锯子下起料来。我怎么看，怎么觉得这锯子不像那么回事儿，锯起木头来直拐弯儿。它和我以前见过的锯子怎么就那么不一样呢。正在干活，来了一个美国木匠。他笑着问我们原来是干啥的。我出国前是个大学教师，但这不能说，不能丢学校的脸。老曹的来路更不能说，说了是给沪东船厂丢脸。我说：我们是艺术家。这话不全是扯谎。我出国前就发表过小说，至于老曹，颇擅丹青，作品还参加过上海工人画展……那老美说：我早就知道你们是艺术家！我暗自得意：我们身上的艺术气质是如此浓郁，人家一眼就看出来了。谁知他又补充了一句：工人没有像你们这么干活的！等这老美一走，老曹就扔下了锯子，破口大骂起来。原来这锯子的正确用途，是在花园里锯锯树杈……

我们给赤佬老板干了一个多月，也赚了他几百块钱的工钱，那个餐馆还是不像餐馆，也不像是冷库，而是像个破烂摊。转眼间夏去秋来，我们也该回去上学了。那老板的脸色越来越难看，天天催我们加班。催也没有用，手里拿着手锤铁棍，拼了命也是干不出活来的。那条街上的美国工匠也嗅出味来了，全聚在我们门前，一面看我们俩出洋相，一面等赤佬老板把工程交给他们。在这种情况下，连老曹也绷不住，终于和我一起辞活不干了。于是，这工程就像熟透的桃子一样，掉进了美国师傅的怀里。本来，辞了活以后就该走掉。但老曹还要看看美国人是怎么干活的。他说，这个工程干得窝囊，但不是他的过错，全怪那赤佬满肚子馊主意。要是由着他的意思来干，就能让洋鬼子看看中国人是怎么干活的……

美国包工头接下了这个工程，马上把它分了出去，分给电工、木工、管子工，今天上午是你的，下午是他的，后天是我的，等等。几个电话打出去，就有人来送工具，满满当当一卡车。这些工具不要说我，连老曹都没见过。除了电锯电刨，居然还有用电瓶的铲车，可以在室内开动，三下五除二，就把我们留下的破烂从室内推了出去。电工上了电动升降台，在天花板上下电线，底下木工就在装配地板，手法纯熟至极。虽然是用现成的构件，也得承认人家干活真是太快了。装好以后电刨子一刨，贼亮；干完了马上走人，运走机械，新的工人和机械马上开进来……转眼之间，饭馆就有个样儿……我和老曹看了一会儿，就灰溜溜地走开了。这是因为我们都当过工人，知道怎么工作才有尊严。

（本篇最初发表于 1996 年第八期《辽宁青年》杂志）

门前空地

十年前我在美国，每天早上都要起来跑步，跑过我住的那条街。这条街上满是旧房子，住户一半是学生，另一半是老年人。它的房基高于街道，这就是说，要走上高台阶才到房门口。从房子到人行道，有短短的一道慢坡。这地方只能弄个花坛，不能派别的用场——这就是这条街的有趣之处。这条街上有各民族的住户，比方说，街口住的似是英裔美国人，花坛弄得就很像样子。因为这片空地是慢坡，所以要有护墙，他的护墙是涂了焦油的木材筑成，垒得颇有乡村气氛。花坛里铺了一层木屑，假装是林间空地。中央种了两棵很高的水杉，但也可能是罗汉松——那树的模样介于这两种树之间，我对树木甚是外行，弄不清是什么树。一般来说，美国人喜欢在门前弄片草坪，但是草坪要剪要浇，还挺费事的；种树省心，半年不浇也不会死。

我们门前也是草坪，但里面寄宿的学生谁也不去理它，结果长出耐旱的蒿子和茅草来，时常长到一人多高。再高时，邻居就打电话来抱怨说这些乱草招蚊子，我们则打电话叫来房东，他用广东话嘟囔着，骂老美多事，把那些杂草砍倒。久而久之，我们门前又出现了个干草垛。然后邻居又抱怨说会失火，然后房东只好来把这些干草运走。上述两栋房子里的人都不想伺候花草，

却有这样不同的处理方法。但我们门前比较难看，这是不言而喻的。

我们左面住了一家意大利人。男主人黝黑黝黑，长了一头银发，遇上我跑步回来，总要拉着我嘀咕一阵，说他要把花坛好好弄弄。照我看，这花坛还不坏，只是砖护墙有些裂缝，里面的土质也不够好，花草都半死不活。这位老先生画了图给我看，那张图画得太过规范，叫我怀疑他是土木工程师出身。其实他不是，他原来是卖比萨饼的。这件事他筹划来筹划去，迟迟不能开工。

在街尾处，住了一对中国来的老夫妇，每次我路过，都看到他们在修理花园，有时在砌墙，有时在掘土，使用的工具包括了儿童掘土的玩具铲以及各种报废的厨具。有一回我看到老太太在给老头砌的砖墙勾缝，所用的家什是根筷子。总而言之，他们一直在干活，从来就没停过手。门前的护墙就这么砌了出来，像个弥勒佛，鼓着大肚子。来往行人都躲着走，怕那墙会倒下来，把自己压在下面。他们在花园

里摆了几块歪歪扭扭的石头，假装是太湖石。但我很怕这些石头会把老两口绊倒，把他们的门牙磕掉……后来，他们把门廊油得红红绿绿，十分恶俗，还挂上了一块破木板钉成的匾，上面写了三个歪歪倒倒的字"蓬莱阁"。我不知蓬莱仙阁是什么样子，所以没有意见。但海上的八仙可能会有不同意见……

关于怎样利用门前空地，中国人有各种各样的想法。其中之一是在角落里拦出个茅坑，攒点粪，种菜园子。小时候我住在机关大院的平房里，邻居一位大师傅就是如此行事。他还用废油毡、废铁板在门前造了一间难以言状的古怪房子，用稻草绳子、朽烂的木片等给自己拦出片领地来，和不计其数的苍蝇快乐地共同生活。据我所见，招来的几乎全是绿莹莹的苍蝇，黑麻蝇很少来。由此可以推断出，同是苍蝇，黑麻蝇比较爱清洁，层次较高，绿豆蝇比较脏，层次也低些。假如这位师傅在美国这样干，有被拉到街角就地正法的危险。现在我母亲楼下住了另一位师傅，他在门前堆满了捡来的易拉罐和废纸板，准备去卖钱。他还嫌废纸板不压秤，老在上面浇水。然后那些纸板就发出可怕的味道来，和哈喇的臭咸鱼极为相似。这位老大爷在美国会被关进疯人院——因为他一点都不穷，还要攒这些破烂。每天早上，他先去搜索垃圾堆，然后出摊卖早点。我认为，假如你想吃街头的早点，最好先到摊主家里看看……我提起这些事，是想要说明：门前空地虽是你自己的，但在别人的视线之中。你觉得自己是个什么人，就怎么弄好了。

后来，我的意大利邻居终于规划好了一切，开始造他的花坛。那天早上来了很多黑头发的白种男人，在人行道上大讲意大利语。他们从一辆卡车上卸下一大堆混凝土砌块来，打着嘟噜对行人说 sorry，因为挡了别人走路。说来你也许不信，他们还带来几样测绘仪器，在那里找水平面呢。总共五米见方的地面，还非弄得横平竖直不可。然后，铺上了袋装腐殖土，种了一园子玫瑰花，路过的人总禁不住站下来看，但这是以后的事。花坛刚造好时，是座庄严的四方形建筑。是一本正经建造的，不是胡乱堆的。过往的行人看到，就知道屋主人虽然老了，但也不是苟活在世上。

（本篇最初发表于 1996 年第九期《辽宁青年》杂志）

在美国左派家做客

上个礼拜黄先生来访问我，问我爱听谁的歌。我实在想不起歌手的名字，就顺口说了个披头士。其实我只是有时用披头士的歌来吵吵耳朵。现在我手上有这四个英国佬的几盒磁盘，CD连一张都没有，像这个样子大概也不算是他们的歌迷。只是一听到这些歌就会想到如烟的往事：好多年以前，我初到美国，深夜里到曼哈顿一位左派家里做客，当时他家里的破录音机正放着披头士的歌。说起来不好意思，我们根本不认识人家，只是朋友的朋友告诉了我们这个地址。夜里一两点钟一头撞了进去，而且一去就是四个人。坦白地说，这根本不是访友，而是要省住旅馆的钱——在纽约住店贵得很。假如不是左派，根本就不会让我们进去，甚至会打电话叫警察来抓我们。但主人见了我们却很高兴，陪我们聊了一夜，聊到了切·格瓦拉、托洛茨基，还有浩然的《金光大道》。这位先生家里有本英文的《金光大道》，中国出版，是朋友的朋友翻译的。我翻了翻，觉得译得并不好。这位朋友谈到了他们沸腾的六七十年代：反战运动、露天集会、大示威、大游行，还讲到从小红书上初次看到“造反有理”时的振奋心情。讲的时候，眼睛里都冒金光。我们也有些类似的经历，但不大喜欢谈。他老想让我们谈谈中国的红卫兵，我们也不想谈。总的来说，他给我的印象就像某位旧友，当年情同手足，现在却话不投机——我总觉得他的想法有点极左的气味。要是按他的说法，我不必来美国学什么，应该回去接着造反。我不觉得这是个好主意。但不管怎么说，美国的左派人品都非常之好，这一点连右派也不得不承认。

我记得这位左派朋友留了一头长发，穿着油光水滑的牛仔裤，留了一嘴大胡子，里面有不少白丝。在他那间窄小、肮脏的公寓里，有一位中年妇女，但不是他老婆。还有一个傻呵呵的金发女孩，也不是他的女儿。总的来说，他不像个成功人士。但历史会给他这样的人记上一笔，因为他们曾经挺身而出，反越战，反种族歧视，反对一切不公正。凌晨时分，我们都困了，但他谈意正浓——看来他惯于熬夜。在战斗的六七十年代，他们经常在公园里野营，在火堆边上弹着吉他唱上一夜，还抽着大麻烟。这种生活我也有过，只不过不在公园里，是在山坡上。可能是在山边打坝，也可能是上山砍木头，一帮知青在野地里点堆火，嗷嗷地唱上一夜。至于大麻，我没有抽过。只是有一次烟抽完了，我拿云南出的大叶清茶给自己卷了一支，有鸡腿粗细。拿火柴一点，一团火冒了上来，把我的睫毛燎了个精光。茶叶里没有尼古丁，但有不少咖啡因，我抽了一口，感觉好像太阳穴上挨了两枪，一头栽倒在地。只可惜我们过这样的生活没有什么意义，只是自己受了些罪而已。对此我没什么可抱怨的，只是觉得已经够了，我想要干点别的——这是我和左派朋友最大的不同之处。但不管怎么说，在美国的各种人中，我最喜欢的还是左派。